ALL THE BEAUTY IN THE WORLD

THE METROPOLITAN MUSEUM OF ART AND ME

メトロポリタン美術館と警備員の私

世界中の〈美〉が集まるこの場所で

パトリック・ブリングリー
PATRICK BRINGLEY

山田美明［訳］

晶文社

Published in Japan, 2024 by Shobun-sha Publisher, Tokyo.
Japanese translation rights arranged with Chase Literary agency, New York
through Tuttle-Mori Agency, Inc., Tokyo

装丁
◉
岩瀬聡

苦しんだトムに

メトロポリタン美術館と警備員の私

——世界中の〈美〉が集まるこの場所で

登場人物一覧

ブリングリー―主人公。メトロポリタン美術館の警備員。
トム―主人公の兄。
モーリーン―主人公の母。
ミア―主人公の姉。
クリスタ―トムの妻。
タラ―主人公の妻。
オリヴァー―主人公の息子。
ルイーズ―主人公の娘。
アーダ―同僚の警備員。
アリ―同僚の警備員。
モーガン―メトロポリタン美術館の学芸員。
シン主任―勤続四〇年のベテラン。ガイアナ系アメリカ人。
テレンス―同僚の警備員。ガイアナ系アメリカ人。
ブレイク―同僚の警備員。ハドソンバレー出身。博識。

カーター―労働組合の組合長。
ボブ―派遣局の職員。
　五〇〇人以上いる警備員の名前をすべて覚えている。
ジョニー・ボタン―美術館の名物服飾係。
クルス―警備員を束ねる保安部の責任者。
ホワイトホール―ベテラン老警備員。
ジョセフ―主人公が指導した新人警備員。トーゴ出身。
トロイ―同僚の警備員。オクラホマ生まれ。
エミリー―メトロポリタン美術館に勤務している芸術家。
ランディ―同僚の警備員。
イエタ―同僚の警備員。
ハダド主任―イスラム美術の展示エリアの常勤管理者。
ルーシー―同僚の警備員。
サイモン―同僚の警備員。

はじめに

本書に登場した芸術作品についてはすべて、巻末に詳細を掲載している。美術館で展示場所を探す際、自宅で高画質画像を見る際に参考にしてほしい。

本書の内容は、美術館で警備員として働いた一〇年間に実際に起きた出来事を元にしている。ただし、幅広い経験をしたことを強調しようと、別々の日に起きた出来事を一日にまとめたところもある。また、美術館の職員の名前は変更している。

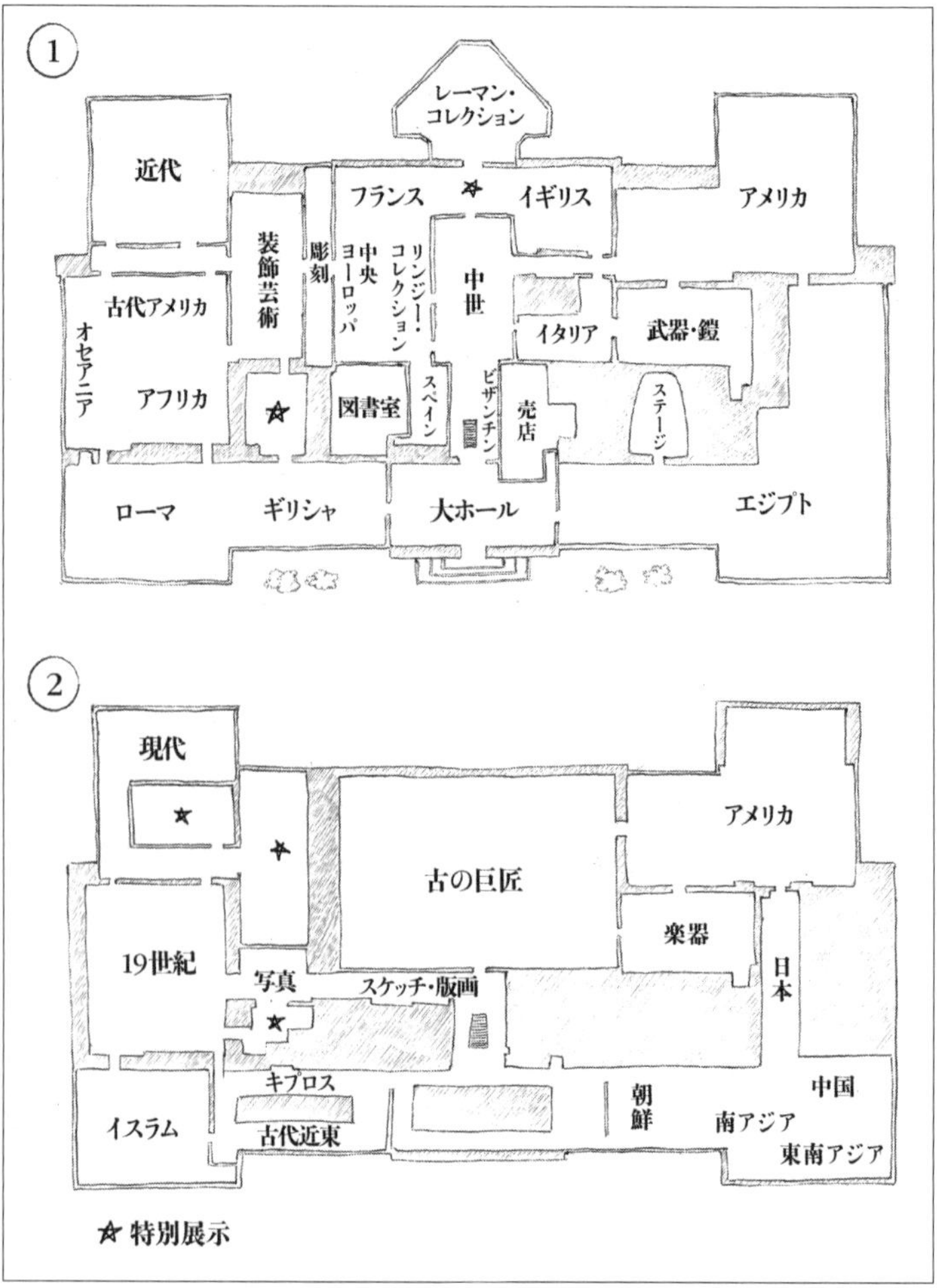

◇図1—メトロポリタン美術館館内図。展示エリアは各セクションに分かれている。

1……正面階段

メトロポリタン美術館の武器・鎧の展示エリアの真下にあたる地下、警備員派遣局の部屋の外に、芸術作品の梱包に使う空の木箱が積み重ねられている。木箱の形やサイズはまちまちだ。大きな立方体のものもあれば、絵画のように幅ばかりあって厚みのないものもある。だがどれも一様に堂々たる姿をしており、貴重な宝物や異国の獣の彫像を輸送するのにふさわしく、未加工の白っぽい木材で重厚につくられている。勤務初日の朝、私は制服を身につけ、空想をかきたてる頑丈そうなこれらの木箱のそばに立ち、これからここでどんな仕事をすることになるのだろうかと考えていた。だが実際には、周囲に気をとられるあまりほとんど何も思い浮かばなかった。

やがて一人の女性が私のほうへやって来た。私に仕事を教えてくれるアーダという警備員だという。背が高く、淡い金色の髪をしている。妙に動きがぶっきらぼうで、見かけも動作もまるで魔法をかけられたほうきのようだ。聞き慣れないなまり（フィンランド？）で私に挨拶すると、私の紺色の制服の肩にのっていたふけをはたき落とす。そして、そのどこか締まりのない制服姿に眉をひそめながら、むき出しのコンクリート壁の廊下に私を連れ出した。

廊下には「通行時には芸術作品に道を譲れ」との注意書きがある。台車に載せられた聖杯が通り過ぎていく。私たちはすり減った階段を二階まで登っていく。電動のシザーリフト（訳注：テーブル状の台が水平に昇降する装置）がある。絵画を掲示したり電球を取り替えたりするのに使うのだという。その車輪の脇に、畳んだ《デイリー・ニューズ》紙やコーヒーの紙コップ、ページの隅を折ったヘルマン・ヘッセの『シッダールタ』が押し込まれている。「汚いな。私物はロッカーにしまっておいて」とアーダが吐き出すように言う。

やがて彼女が、クラッシュバー式（訳注：バーを押すだけで開扉できる扉の仕組み）の何の変哲もない金属製のドアを開くと、まるで『オズの魔法使い』のように周囲の色が切り替わる。正面に、エル・グレコの幻影のような風景画『トレド風景』が見える。だが呆然と見とれている暇はない。アーダの歩調に合わせ、絵画がパラパラ漫画のように入れ代わり立ち代わり現れる。時代が何世紀も戻ったかと思えば何世紀も進み、神聖な主題が見えたかと思えば世俗的な主題が見え、スペインがフランスになり、オランダになり、イタリアになる。そして、二メートル近い高さのあるラファエロの『コロンナの祭壇画』の前で立ち止まる。

「ここが私たちの最初の持ち場、持ち場C」とアーダが告げる。「一〇時まではここに立つ。そのあとはあそこ。一一時になったらあっちの持ち場A。少しぐらい歩きまわってもいいけど、ここが私たちの居場所。そしたら休憩ね。ここがあなたのホームセクションになるんじゃないかな？　この古の巨匠の展示エリアが」

私は彼女に、たぶんそうだと返事をする。すると彼女がさらに言葉を継いだ。

「それなら運がいいよね。いずれはほかのセクションにも配置されると思う。古代エジプトのとことかジャクソン・ポロックのとことかね。でも最初の数カ月間はここに配置されるでしょうし、そのあとも労働時間の六〇パーセントはここになる。ここは（と言って彼女は足を二度踏み鳴らした）木の床だから、足に優しいの。そうは思えないかもしれないけど、嘘じゃない。木の床の上での一二時間労働は、大理石の床の上での八時間労働と同じぐらいなの。木の床の上での八時間労働なんて大したことない。足が痛くなることなんてまずないから」

私たちは、盛期ルネサンス時代の展示室にいるらしい。どの壁にも、堂々たる絵画が細い銅線で掛けてある。展示室自体も堂々たるものだ。おそらくは一二×六メートルぐらいで、三方向に通常の二倍幅の扉を備えた出口がある。床は、アーダが言っていたように柔らかい。天井は高く、効果的な角度で下を照らす照明が、天窓からの明かりを補完している。部屋の中央付近にはベンチが一つだけあり、その上に中国語のマップが捨て置かれている。ベンチの向こう側の壁には、何も掛かっていないひときわ目立つ部分があり、そこに銅線だけがだらりと垂れ下がっている。

アーダがその説明をする。「あそこに名前を書いたメモが見えるでしょう」。そう言いながら、ここが衝撃的な犯罪現場ではない唯一の証拠を指差す。

「フランチェスコ・グラナッチさんの絵があそこに掛かってたんだけど、管理員がクリーニングに出したのね。それとも、どこかに貸し出したか、学芸員の研究室で検査をしているか、撮影スタジオに持っていったのかも。誰も知らないの。でもそういう場合には、メモがあるからすぐにわかる」

来館者を絵画から一メートル余り遠ざけるため、すねの高さのあたりにバンジーケーブル（訳注：伸縮性のある素材でできたロープ）が張られている。私たちはそれに沿って歩いていき、やがて私たちの監視対象である次の展示室に入る。ここでの有名どころはボッティチェッリらしい。それから、やや狭めの第三の展示室がある。こちらは、それ以外のフィレンツェの画家の作品が占めている。ここまでが、午前一〇時までの私たちの監視範囲であり、一〇時になったら、その先にある三つの展示室に移動する。アーダが、言葉を単語ごとに区切る独特の話し方で説明を始める。

「命と作品を守る。命が先で、次が作品。簡単な仕事だけど、ぼうっとしていてはだめ。いつも目を見開いて、周囲に目を配る。かかしみたいに立って、厄介ごとを防ぐ。ささいな問題だったら、私たちで対処する。重大な問題だったら、指令センターに連絡して、研修で学んだ手順に従う。私たちは警察じゃない。ばかな奴から警察の代わりをするよう頼まれた場合は別だけど、ありがたいことにそんな場合はあまりない。そう言えば、朝から仕事に入るときには最初にしなければならないことがいくつかあるの」

ラファエロの絵が掛かっていた展示室に戻ると、アーダはつま先立ちになって錠に鍵を差し、来館者が使用する正面階段に通じるガラス製の扉を開いた。そうしたあと、アーダは平気でバンジーケーブルをまたいで（本来であれば衝撃的な違反行為である）、重々しい金の額縁の下にしゃがみ込み、壁の基部にあるスイッチを示す。「照明。ふだんは遅番の人――深夜勤務の人ね――その人がつけておいてくれるんだけど、ついていないときは……」。アーダはそう言いながら、六個のスイッチを同時に押し下げた。するといままでいた場所が一瞬にして長く暗いトンネルになり、ルネサンス絵画が銀色にきらめくぼんやりとしたものに過ぎなくなった。アーダがスイッチを入れ直すと、驚くほど騒々しい「ガチャン」という音とともに、展示室に照明が一斉にともる。

来館者は九時三五分ごろからぽつぽつと現れ始めた。最初の来館者は、小脇に挟んだ紙ばさみから判断するに、美術学校の女子学生らしい。自分一人しかいないことに気づいて呆然としている（当然、アーダと自分は勘定に入っていない）。続いて、そろいのニューヨーク・メッツの帽子をかぶったフランス人家族がやって来る（彼らはそれをニューヨーク・ヤンキースの帽子だと思っているのかもしれない。旅行者にはそんな間違いがよくある）。

　アーダが目を細めながら言う。

「大半は感じのいい人ばかり。だけどここの絵はすごく古くてもろいし、たまにおかしなことをする人もいる。昨日もアメリカの展示エリアに立っていたら、三つのクマの銅像に子どもを座らせようとする人が一日中いたの！　信じられる？　その点、古の巨匠の展示エリアはすごくいい。もちろん、アジア美術のとこほど静かではないけど、一九世紀美術の部屋と比べたらどうってことない。まあ、どこを警備していようと、不注意な人には気をつけないといけないけどね。ほら？　あそこ」

　向こうのほうで、フランス人家族の父親が、バンジーケーブルを超えて手を伸ばし、ラファエロの絵の細部を娘に指し示している。アーダが必要以上に大きな声で叫ぶ。

「そこの方《ムッシュ》！　そんなに近づかないで！　お願いします《シルヴプレ》！」

　しばらくすると、なじみの制服を来た年配の男性が、私たちがいる展示室にぶらぶらとやって来た。「ああ、あの方はアリさん。同じ班のすてきな仲間！」と、アーダがその警備員の説明をする。

「やあ、アーダ。よろしく！」。アリ氏がアーダの抑揚をまねて応える。アリ氏の自己紹介によると、私たちの班（セクションBの一班）の「交代要員」だという。この人が私たちを持ち場Bへと「押し出す」わけだ（訳注：これはこの美術館の警備員用語で、持ち場を移動することを、次にその持ち場を担当する人がそれまでの担当者を「押し出す」という)。

　力強くうなずいていたアーダが尋ねる。「アリ、あなた第一隊だっけ？」

「第二」

「休みは日・月？」

「金・土」

「ああ、じゃあ規定外勤務なのね……ブリングリーさん、アリさんは今朝、私たちより少し早くから仕事を始めたから、五時半には帰るの。あなたや私みたいに元気でもないし、第三隊でもないから。きれいな奥さんが待つ家に帰らないとね。ブリングリーさん、あなたは何曜日に働くんだっけ？　そうか、さっき聞いたよね。金・土・日・火で、一二時間、一二時間、八時間、八時間。いいじゃない。そのうち、労働時間が長い日が普通に感じられるようになって、普通の日が短く感じられるようになると思うよ。規定外勤務がしたいときには、三日目に必ず休みがもらえるし。この第三隊でがんばりましょ、ブリングリーさん。じゃあまたね、アリさん」

　新たな持ち場には、ラファエロ以前の絵画もあれば以後の絵画もあった。一三〜一四世紀のイタリア絵画の展示室に隣接して、フランス革命時代のフランス絵画の大きな展示室がある。アーダはときおり、カメラや警報装置を指し示し、その必要性は認めながらも、まるでそれらを見下すような態度を見せる。その一方で、人間の労働者には敬意を示し、自分から見て警備員と同じくらい重要だと思える脇役たちを熱心に列挙する。

たとえば、私たちの労働組合の仲間である守衛、エクセドリン（訳注：解熱鎮痛剤）を処方してくれる看護師、一カ月に一日しか休まない契約社員のエレベーター係、いつも敷地内に待機している非番あるいは退職した消防士二人、重量のある芸術作品を移動させる装備員、繊細な感覚を持つ美術品取扱者（技師）、大工や塗装工や木工業者、エンジニアや電気技師や照明技師、それに、一般人が出会う機会があまりない学芸員や管理員、役員など無数の人々である。

そういう話はとても興味深いものではあったが、私はむしろ、自分たちが話をしているわずか数メートル先に、一三〇〇年ごろに描かれたドゥッチョ・ディ・ブオニンセーニャの『聖母子』があることに気づかずにはいられなかった。その日の午前中ずっと、私は絵画をまともに見ていなかった。そこで、その絵には四五〇〇万ドルの値がついたらしいという話をすれば、アーダの注意をそちらの方向に向けられるのではないかと思ったのだが、私がそんな下卑た話をすると、アーダは悲しそうな目をするだけだった。そして、小さなパネル画のそばに私を引き寄せると、こうささやいた。

「額縁の下のところに黒く焦げたところがあるでしょ。あれは灯明の焦げ跡なの。きれいな絵だと思わない？　どれもこれもほんとにきれいよね。私は、ここに来る人たち、子どもたちや旅行客に気づかせたいの、どれもが巨匠の作品だって。あなたも私も、その巨匠のもとで働いてる。ドゥッチョ、フェルメール、ベラスケス、カラヴァッジオ。そんな作品に匹敵するものがある？」。アーダは隣にあるアメリカ美術の展示エリアのほうを見やって言う。「ジョージ・ワシントンの絵？　それはないでしょ。冗談はやめてよ」

やがてアリ氏が近寄ってきて、展示室の向こう側から、両手で私たちを押し出すようなユーモラスなしぐさをする。それを見て私たちはガラス製の扉を通り抜け、古の巨匠の展示エリアの外、美術館の大ホールを見下ろす巨大な廊下に出る。大勢の来館者が行き交うこの廊下に出ると、アーダは来館者のさまざまな質問攻めにあい、警備の仕事どころではなくなった。ミイラは？　写真は？　アフリカの仮面は？　「古代の医療器具とかは？」（この最後の質問には、アーダは確信を持って「そんなものはありません」と答えていた）。

アーダは、こうしたつまらないやりとりがあることを何度も私に詫び、静かなときにはもっと興味深い質問をされることもあると弁解した。そして、ドガのバレリーナの彫像が展示されている場所を来館者に手際よく説明し終えると、私の肩を叩き、その場を通り過ぎていく身なりのいい男性を指差す。

「あの人モーガン。このセクションの学芸員か何か」

その男性は床に目を落としたまま急ぎ足で通り過ぎ、ドゥッチョの絵が掛かった展示室のほうへ消えていった。「ルーベンスの展示室にブザーのついた扉があるんだけど、その奥があの人のオフィスなの。そこへ行ったのね」。私たち二人の姿は皮肉そのものだった。二人とも一日中名画の前にいながら、安物の制服を着ているのだから。

もう一一時だ。しばらくすれば休憩時間になる。アーダの前に、質問をする来館者の短い列ができている。私はその間に、下に広がる大ホールを上からのぞき込んでみた。来館者がまるで川を遡上するサケの群れのように、正面階段を私目がけて登ってきて、私のそばを素早く通り過ぎていく。私はさながら、川から半分顔を出している石のようだ。

私はふと、以前自分が来館者として何度もこの階段を登ったときのことを考える。そのころは、こうした芸術愛好家や旅行客、ニューヨーク市民の流れを振り返って見ることなど考えもしなかった。彼らはみな、この小さな世界のなかでは時間が短すぎると思っているかのように急いでいる。だがいまの私には、そんな心配をする必要がないほど時間がたっぷりある。それを驚きとともに実感する。

＊

メトロポリタン美術館を初めて訪れたときのことを忘れる人はいないだろう。

私は一一歳のときに、母親と一緒にシカゴ郊外の自宅からニューヨークへ旅行にやって来た。地下鉄に乗って行ったアッパー・イーストサイドが、ずいぶん遠くに思えた。その地区には、本で読んだそのままの雰囲気があった。制服を来たドアマン、威容を誇る石づくりの高層マンション、幅の広い有名な通り（まずはパーク街、次いでマディソン街、それから五番街）。

◇図2—メトロポリタン美術館の正面大階段。

私たち親子は、東八二丁目からメトロポリタン美術館に向かったに違いない。なぜなら、入口前の大きな石づくりの階段が真っ先に見えたからだ。

そこは、サックス奏者のステージと化していた。美術館のファサード（訳注：建築物正面のデザイン）にはギリシャ風の円柱が並び、ありふれた感じではあったが堂々としていた。不思議なことに、そこへ近づくにつれ、どんどん建物の幅が広がっていくように見え、建物のすぐ前にあるホットドッグ屋の屋台や噴水のそばまで来ると、美術館全体を視野に収めることができなくなった。私は即座に、ここは信じられないほど幅のある場所なのだと思った。

大理石の階段を登り、入口を抜けて大ホールに入る。母親のモーリーンが「任意の協力金」（五セントでもよかった）を支払うため列に並んでいる間、私はロビーで時間をつぶしているようにと言われた。ロビーは、グランド・セントラル駅に劣らないほど立派に見え、どこかに出かけようとしている人々が放つエネルギーと同じエネルギーに満ちていた。

ホールの一方の端にある扉の向こうには、吹雪に見舞われたかのような、まばゆいばかりに白い彫像が見える。おそらくギリシャ時代のものだろう。反対側の端にある扉の向こうには、砂色の墓が見える。きっと古代エジプト時代のものだ。すぐ前には、幅の広い壮麗な階段がまっすぐ延びており、その先に、船の帆のようにぴんと張られた大きなキャンバスに描かれた色彩豊かな絵が見える。ブリキ製の小さな入場ピンを襟に留めた私たち親子には、そこを登っていくのが当然だとしか思えなかった。

私が芸術について知っていることはすべて、両親から学んだ。モーリーンは大学で美術史を副専攻科目にしており、兄のトム、姉のミア、そして私に、素人らしい熱意で芸術の価値を説いた。少なくとも年に数回はシカゴ美術館に出かけ、まるで墓荒らしのように足音を忍ばせて歩き、まるで盗みを計画しているかのようにお気に入りの絵を物色した。

母の職業はシカゴの舞台俳優だった。シカゴの演劇について知っている人なら誰でも、それが華やかでもなければ派手でもなく、まじめで信念に満ちたものだと知っている。

私はよく母に連れられて繁華街の劇場へ出かけた。そこでは母は、俳優仲間からモーリーンではなく「モー」と呼ばれていた。客席の照明が消え、ステージ上の照明がつく。私はそこで、この世界には、騒々しく車が行き交う外の世界とはまるで関係のない、神聖なるささやかな遊びの空間が入り込む余地が十分にあることを学んだ。

家では、母の大きなベッドに子どもたちが集まり、モーリス・センダックの絵本を読んだ。私たち子どもは、それが普通の本とは違うことを理解していた。その本は、私たちの心のなかに遊びの空間をつくり、「楽しい大騒ぎ」をたくさん実生活に招き入れるよう勧めていた。そのため私は当初、芸術は月の光に照らされた別世界のようなところにあるのだと思っていた。母からはそんな影響を受けた。

一方、父はもっと頭が固かったが、それでも私に独自の教育を施してくれた。シカゴのサウスサイドにある地方銀行で働いていた父は、現代のジョージ・ベイリー（訳注：映画『素晴らしき哉、人生！』の主人公。友情や家族愛に富んだ善人）といった人物で、ヘンリー・ポッター（訳注：同映画の登場人物。ベイリーの会社をつぶそうとする悪役）のような人間を心の底から軽蔑していた。

一日の終わりには、心を落ち着かせるため、家にあったアップライト・ピアノを何時間も弾いていた。父はピアノが大好きだった。しばらくの間、車のバンパーに「ピアノ」とだけ書かれたステッカーを貼っていたほどだ。決してうまくはなかった。自分にはうまく弾く才能ではなく、熱心に弾くことに喜びを見出す才能があると常々語っていた。それでも、自分が敬愛する二人の作曲家、バッハとデューク・エリントンの曲を、たどたどしくはあるが恥ずかしがることもなく演奏していた。その間ずっと、その美しさをこのうえなく楽しみ、「ダ・タ・ダ・ダ・ドゥー」などと旋律を大きな声で歌いあげながら。私が、芸術家は挑戦を怖れない人間だと思うようになったのは、そんな父を見ていたからだろう。

初めてメトロポリタン美術館を訪れたあの日、私は先頭を切って、目まぐるしいほどのスピードで館内を駆け抜けた。次の角を曲がったところに、さらに見逃せない光景があるのではないかとの疑念にとりつかれていたのだ。

この新世界最大の美術館は、一八八〇年に開館して以来、とても尋常とは思えないほどの規模で拡張されてきた。どこからともなくまったく新たな雰囲気が立ち現れるかのように、古い建物に新たな建物が増築されている。そのなかを歩きまわるのは（私たち親子のように何度も進む方向を変えたりしたときには特に）、夢のなかで大邸宅を探索しているようなものだ。次から次へと新たな部屋が目の前に現れ、背後でその部屋が消えていく。一度訪れた展示室も、別の入口から見ると、ほとんど見覚えのないものになってしまう。

だが、そんな旋風のような美術館探検のなかでも、はっきりと記憶に残っている芸術作品が二つだけある。一つは、パプア・ニューギニアのアスマット族がつくった木彫りの作品である。これほど想像力を飛躍させた作品はそれまで見たことがなかった。そのなかでも特に目を引いたのが、一本のサゴヤシの木からつくられたトーテムポールだ。それがいくつも並んでいる。私のお気に入りは、刺青の男の肩の上に別の刺青の男が乗り、その肩の上にまた別の刺青の男が乗り、というように刺青の男が縦に並び、そのいちばん上の男のペニスが、入念に彫刻されたヤシの葉のように広がっている作品だった。それはまるで、この世界は、自分が知っているよりもはるかに多くの可能性に満ちていることを証明しているかのようだった。

もう一つは、ピーテル・ブリューゲルが一五六五年に描いた『穀物の収穫』という絵画だった。古の巨匠の展示エリアを見ていたとき、その絵の前から動けなくなったのだ。いまにして思えば、私がそのときこの偉大な絵画に対して示した反応は、芸術特有の力がもたらす根源的な反応だったと言っていい。つまり、その美しさをどう判断すればいいかわからないながらも、その絵の偉大な美しさを実感していた。そのときの感情は、言葉では表現できなかった。というよりむしろ、言葉にすべきことは何もなかった。その絵のなかにある美しさは、言葉で表現できるものではなく、まさに絵でしか表現できないものだった。静謐で、直接的で、具体的で、思考へと翻訳することさえ拒んでいる。

そのため私は、その絵に対する反応を、心のなかに閉じ込めた。胸の内で鳥がはばたいていても、どう判断すべきかわからなかったからだ。それはいまだに簡単にわかるものではない。この美術館の警備員となった私はこれから、無数の来館者がそれぞれの形でこの不思議な感覚にとらわれるのを目にすることになるのだろう。

メトロポリタン美術館を初めて訪れてから七年後、私は大学進学を機にニューヨークへ引っ越した。たまたま同じ美術館で、ブリューゲルのスケッチと版画を紹介する秋の企画展が開催されていたので、私は再びあの正面階段を登った。今回は、夢と希望に満ちた学生という立場から、ノートを持参していた。私のそれまでの人生は、二歳上の聡明な兄（数学に天才的な才能を発揮していたトム）の背中ばかりを追いかけていたが、いまでは自分を、芸術にかかわる壮大な夢を抱く勇敢な弟と見なしていた。

大学一年の一学期、私はいちばん難しいと噂される英文学の講座に登録した。ジョン・ミルトンの『失楽園』一二巻を一二週間かけて分析するセミナーである。『失楽園』には数ページおきに、以下のような行がある。

◇図3—ピーテル・ブリューゲル『穀物の収穫』に寄せて。

悪魔は恥じ入って立ち尽くし
善の荘厳さに打たれていた

分析にさらに一二週間加えてもいいような内容である。偉大な文学や偉大な芸術は、それほど途方もないものなのだ。

一方、美術史学の講座はわずかしかとらなかったが、私をいちばん魅了したのはこれらの講座だったかもしれない。講堂に入ると、照明が消され、スライド映写機がうなりをあげて動き始め、スクリーン上に大聖堂やモスク、宮殿など、世界中のあらゆる荘厳な建物が、カチッ、カチッという音とともに映し出される。あるいはもっと静かに、ルネサンス期の小さなチョーク画が一〇〇倍に拡大され、初期の映画のように、光り輝くスクリーンの上で音もなく揺れる。

これらの勉強を通じて謙虚になったと言えればいいのだが、当時の私はまだ、謙虚になるにはあまりに若すぎたのかもしれない。私は、システィナ礼拝堂の天井画のクリーニングを指導した教授の講義を聞き、自分がそのクリーニング時の足場の上にいるような気分になり、間もなく重要な学者として著名になる自分を夢想した。

ブリューゲルの企画展に足を運んだあの日、私は、学芸員が小さな説明書きのラベルに凝縮したあらゆる言葉を吸収するつもりでいた。そのころにはもう、かつて『穀物の収穫』を見たときに起きたあの呆然とした反応を克服できると思い込んでいた。あのような反応は子どもじみており、ばかばかしくもあると思っていたのだ。私は洗練された大人になりたかった。妥当な学術的ツールと最新の専門用語を駆使すれば、芸術を適切に分析できるようになり、それをどう判断すべきか迷うこともなくなると思っていた。この胸の内にはばたく小鳥がいたとしても問題はない。絵画のモチーフを分析すれば、あるいはその流派や様式を特定すれば、その奇妙な感覚を鎮められる。つまり、静謐な美に対するこれまでの感覚を乗り超え、頭を切り替えて現実の世界に立ち戻るための言葉を見つけられる、と。

だがその後、兄のトムが病気になり、それに伴って私の優先順位も変わった。大学卒業後の二年八カ月の間、ベス・イスラエル病院の病室とクイーンズ区にあるトムのワン・ベッドルームのアパートが「現実の世界」になった。私はそのころ、ミッドタウンの摩天楼で華やかな仕事を始めていたが、美や善意、喪失について教えてくれたのは、そんな静かな空間だった。芸術の意味について教えてくれたのも、そこだったと思う。

二〇〇八年六月、トムがこの世を去った。私はその後、自分が知るもっとも美しい場所で、自分が想像しうるもっとも簡単な仕事を見つけ、それに応募した。そして、前へ前へと突き進む意思もなく、メトロポリタン美術館にやって来た。私の心は砕け、悲しみに沈むばかりで、しばらくはじっと立ち止まっていたかったのだ。

＊

午後になると、アーダが私の肩をつかんで話しかけた。

「もう一人で大丈夫ね。あなたはここ、私は向こう」

そう言うと、（私の記憶が正しければ）スペイン美術の展示室へと消えていく。もちろん厳密に言えば、私は一人ではない。だが、そばを通り抜けていく来館者はとても仲間だとは思えない。それに美術館がとてつもなく広いため（ニューヨークの平均的なアパートおよそ三〇〇〇戸分に相当する）、どこかの展示室が人でぎっしり埋まることなどめったにない。

こうして数分間、持ち場Cに立っていると、時間が止まっているのではないかと思えるほどのペースでしか進んでいかない。私は体の前で手を組んだり、体の後ろで手を組んだり、ポケットに両手を突っ込んでみたりした。出入口の内側に寄りかかったり、しばらく歩きまわってみたり、壁に背中を預けたりもした。要するに、まるで落ち着きがなかった。子ガモのようにアーダのあとをついていくだけの状態から、周囲に気を配りながらじっと立っているだけの状態への突然の変化に、対応できていなかったのだろう。

私はこれまでの数週間、トムが死んで以来初めて、自分の人生に方向性を与える作業を進めてきた。求人に申し込み、面接を受け、研修を受け、州の検定試験に合格し、指紋を採取され、美術館の制服局の服飾係に採寸された。こうしていま、ここにやって来たのだが、ここですべきことと言えば、絶えず顔を上げて、見張りをすることだけなのだ。美しい芸術作品とそのまわりに渦巻く人生との混じり合いのなかで心を育みながら、何も手にすることなく、ただ周囲に目を配るだけ。

それは類いまれな感覚だった。それから長い数分間が過ぎてようやく私は、これがまさに自分の役割なのかもしれないと思うようになった。

2……窓

朝は教会のように静かだ。私は開館の三〇分ぐらい前に持ち場につく。遠慮会釈なく私に話しかけてくるような人は誰もいない。レンブラントと私だけ、ボッティチェッリと私だけ、血肉を備えているように見えるあの生き生きとした幽霊と私だけ。

メトロポリタン美術館の古の巨匠の展示エリアを一つの村にたとえるなら、そこにはおよそ九〇〇〇人の描かれた住人がいる（数年後一度に一展示室ずつ数えてみたところ、八四九六人だった）［★1］。これらの住人が五九六点の絵画のなかに暮らしているのだが、偶然にもそれらの絵は、その数字とほぼ同じ年数にわたって描かれている。ここに展示されているなかでもっとも古い絵は、一二三〇年代に描かれた聖母子像であり、もっとも新しい絵は、一八二〇年に描かれたフランシスコ・デ・ゴヤの肖像画なのである。

それ以降の絵画は、この美術館の南端の部屋にある。そこには近代の世界がしっかりと根を下ろしている。力強い機械、資本主義、「ドイツ」や「イタリア」などの国民国家、あるいは芸術の世界で言えば、写真や、既製のチューブ式絵の具などである。

それより古い「古」の巨匠の作品に共通しているのは、それらが現れる以前に生み出されたという点だけだ。それを描いたのは、漆黒の闇夜に潜む危険を避けるために門を閉ざした中世の都市で働く職人、絹の靴下を履いて誰それ夫人との謁見を待ち望んでいる廷臣、敬虔な修道僧、帝国の宣伝者、新興中流階級を対象に手ごろな値段で肖像画を描く画家などである。これらの人々は誰であれ、私たち現代人の想像力を強く刺激するという点で似ている。現代にいちばん近い古の巨匠であるゴヤでさえ、少なくとも八人はいた子どものうち、大人になるまで生きていたのは一人だけだった。

この展示エリアを歩きまわっていると、遠く離れた見知らぬ土地に来た旅行者のような気分になる。言葉もわからず、脇を小突いてくれる同伴者もおらず、一人で異国の都市を歩いたことのある人ならわかるだろうが、そんな経験には驚くほどの没入感がある。その土地に溶け込むのである。街灯や水たまり、橋や教会、自分が一階の窓から垣間見る光景に溶け込

★1……この数字には、背景に描かれた小さな智天使、闘牛の観客、アリほどの大きさの船頭も含まれる（ただし、この展示エリアが大々的に拡張される前の話である）。そんなものをすべて数えることなどできるのかと思う人は、私に与えられた時間を過小評価している。

んでしまう。私は細かい点にまで異国を感じながら通りを歩く。翼をばたつかせる普通のハトでさえ奇妙なほど生き生きとしている。そこには一編の詩がある。十分に注意しながら通り抜けていくかぎり、この呪文が解けることはない。

最初の数週間、私の頭は半分おかしかったのだと思う。それほど絵に没入していた。あらゆる絵が、いわば一階に並んだ窓であり、私が通りかかるたびにそのカーテンが開かれるかのようだった。一般的な展示室には、四方の壁に一〇〜二〇の金縁の窓が開いている。ある窓は石壁の間にしつらえられ、そこからは緩やかに起伏する丘陵や波打つ海が見える。また別の窓は家のなかをのぞき込んでおり、その窓枠にあごをのせてなかを見ていくよう誘いかける。さらには、こちらが顔を上げてのぞいても、ガラスに鼻を押しつけんばかりにしてこちらを見返してくる他人の顔しか見えない窓もある（ガラスがあればの話である。これらの絵の大半はガラスに覆われてさえない）。

こうした静けさに満ちたある日の朝、眠い目をこすりながら顔を上げると、ちょうど目の高さのところに、スペインのマリア・テレサ王女がいた。

私はたちまちこんな夢想に包まれる。その部屋には彼女と一緒に、その絵を描いたディエゴ・ベラスケスもいたに違いない。ベラスケスは深々とお辞儀をすると、数メートル離れたところにイーゼルを構え、私の一メートルほど先に彼女の知的な姿を出現させる手品を披露したのだ、と。その肖像は実に独特な顔をしていた。実年齢の一四歳よりは幼く見えるが、目だけはもっと大人びて見える。かわいい子どもでもなければ、元気はつらつとした子どもでもない。優しそうにも意地が悪そうにも見えない。何かを明らかにしているようにも隠しているようにも見えない。むしろ率直で冷静に見える。自分の数奇な人生に慣れるあまり、それを数奇だと思っておらず、引き下がることに慣れていない顔。それはまるで、鏡に映った私自身の顔を見ているかのようだ。

とはいえふだんは、アーダの言葉を借りれば「かかし」としての役割、より一般的な言葉で言えば一種の護衛としての役割を意識していた。

二週目には初めて、ヨハネス・フェルメールの絵画の展示室を任された。この画家の作品は世界に三四点ほどしか現存していないと言われるが、驚くべきことにメトロポリタン美術館はそのうちの五点を所有している。私はこれを知って、少し背筋を伸ばした。何しろいきなり朝から、イギリスや日本、アメリカ中西部からやって来たわずかばかりの旅行客が、その絵に敬意を表しているのだから。一六六五年ごろに描かれた真珠の首飾りの少女の絵の前で、母親らしい若くきれいな女性がポニーテールの頭を揺らしている。この女性はもしかしたら、オランダのマウリッツハイス美術館にある、同じ主題のもっと有名な絵と間違えているのかもしれない。たとえそうだったとしても、わざわざその誤解を正そうとは思わないが。

来館者がみな行儀よく見ていると、私の目はついつい、フェルメールがよく描いた家庭的な静かな部屋へと迷い込んでしまう。メイドが手のひらに頬を預け、居眠りをしている。その奥にある、手入れの行き届いた何もない部屋に、あの神々しいフェルメールの光が差している。私はその絵を見て、私たちがときおり抱く、親密な空間に独自の威厳や神聖さが宿るあの感覚をみごとにとらえていることに衝撃を覚える。それは、私がトムの病室で常に経験していた感覚だった。メトロポリタン美術館で教会のように静かな朝を過ごしていると、あの感覚を取り戻せる。

＊

この仕事についてから一カ月目の最終日、私はどの班に配属されるのかをいつになく心配しながら、主任のデスクのそばにやって来た。私はどうしてもヴェネツィア絵画の展示室を担当する三班で仕事がしたかったのだが、その理由を言葉で表現するのは難しかった。アーダは主任のデスクに向かって堂々たる姿で座っており、主任の到着を待っている。私が彼女に自分の希望を伝えても、まるで興味がないかのように、あいまいにうなずくだけだ。やがて、無線のノイズ音や鍵のガチャガチャ鳴る音が聞こえ、シン主任が現れた。この部門に勤続して四〇年のベテランであり、この部門に多いガイアナ系アメリカ人の一人である。

シン主任はまず、美術品取扱者が新たな作業をするエリアをロープで囲う仕事を誰か引き受けてくれないかと尋ねた。するとアーダが、自分がやると答え、その見返りに好きな持ち場を選ばせてもらえることになった。

「ありがとうございます、シンさん。じゃあ三班にして、二番目に休憩することにします」。そして、少し間を置いてこうつけ加えた。「このブリングリーさんは三番目に休憩ということで」

私たちはあとに残って、セクションB担当のほかの一四人のなかから、自分たちの班に誰を入れるのかを決めることにした。そして最終的に二人の新人を選んだ。私の同期にあたる一八人の警備員のなかの二人である。その一人であるブレイクは私と同じぐらいの年齢で、ハドソンバレー出身の縮れ毛で博識な男だった。もう一人のテレンスは、私の二倍ぐらいの年齢だが、うちとけやすい陽気な男で、やはりガイアナからの移住者だった（警備員の出身国を当てたければ、ガイアナかアルバニアかロシアに張るのがいちばんいい。次に可能性が高いのが、ほかのカリブ海諸国か元ソ連構成国だ）。

私は、出会った瞬間からテレンスとはウマが合った（ほとんどの人がそうだ）が、彼は研修後、クロイスターズ美術館に派遣されていた。この美術館は、アッパー・マンハッタンにあるメトロポリタン美術館の別館で、中世芸術を専門にしている。とはいえ規定外勤務の日には、メトロポリタン美術館でよく一緒に仕事をしていた。

その一方で、ブレイクとは少し距離を置いていた。ただしその理由は、自分が孤独を大切にしており、同じ年ごろの友人をつくるつもりがなかったからにほかならない。私たち四人は気さくに会話を交わした。同僚がこれほど話しかけやすいことに感動さえ覚えた。それでも私は、それぞれが四方に散らばり、おのおのの持ち場につくと、肩の荷が下りたような気がした。これでようやく、まったく孤独な一日を始められる、と。

ヴェネツィアは信じられないような都市だった。波が岸辺を洗う一一八の島がつながっており、かつては世界一鮮やかで濃密な色どりを誇っていた。アフガニスタン産のウルトラマリン、エジプト産のアジュライト、スペイン産のバーミリオン……「ヴェネツィア」という名称さえ、「海の青」を意味するラテン語「venetus」に由来する。

一六世紀ヴェネツィアの最大の画家と言えば、ティツィアーノ・ヴェチェッリオだろう。ティツィアーノは、まるで水たまりの水と赤ワインで顔料を溶いたかのように、自分が描いた風景をバラ色の空気で包み込んだ。私は、その偉大な作品『ヴィーナスとアドニス』に近づく。そこにはあまりに美しく静かな詩があり、自分の心がそれに呑み込まれてしまいそうな気分になる。いずれは死ぬ運命にある人間の恋人に必死にしがみつく亜麻色の髪のヴィーナスと、女神の抱擁を拒んで危険な人間の世界に戻ろうとする若く生意気なアドニス。この両者の美しさに優劣をつけることなどできない。この絵の題材になった古代の詩を読んだことがある私には、その結末がどうなるかがわかる。アドニスは死ぬのだ。ヴィーナスは悲嘆に暮れ、アドニスからあふれた血を、赤いアネモネの花に変える。アネモネとは「風から生まれた」を意味する。

私は床板がきしむ音を聞きながら展示室を歩き（この時間にはまだ来館者はいない）、ティツィアーノの別の作品を見つける。さほど知られていない小さな絵だ。ティツィアーノが若いころに描いた、若い男の肖像画である。流れるような筆使いで描かれており、詳しい検討や緊張の跡はほとんど見られない。まるで、木漏れ日の差す池に偶然映った反射像のようだ。若い男は髪が長く、ひげをたくわえているが、どちらも顔を覆い隠してはいない。その顔は、天使のように穏やかで、生気にあふれ、若々しい。物思いに沈んでいるようだが、何を考えているのかは自分にもわからないらしい。見たところ手袋を外している姿をとらえてはいるが、時間が止まった一瞬を見ているような感じはしない。絵のなかの時間は、止まっているというより、たまっているように見える。まるで、過去と未来が生き生きとした現在に包み込まれているかのように、あるいは、この若い男のなかに、無慈悲な時間の流れから逃れている部分があり、それをティツィアーノが描いたかのように。

この肖像画の不可思議な性質については、物質的に説明できる部分もある。ティツィアーノは、半透明の顔料を何層にも塗ってこの絵を仕上げた。そのため光の差し込み方、反射の仕方、屈折の仕方が絶えず変わる。だがこの絵が、私の感情を強く揺り動かすのもまた事実だ。あまりに美しく、あまりに若々しい生命にあふれているため、絵自体が生きているように思える。生きた記憶、生きた魔法、生きた芸術、そのほか何と呼んでもいい。この絵は、健全で、輝かしく、何ものにも代えがたく、色あせないものに見える。人間の魂もそうあってほしいと私は思う。

私のロッカーのいちばん上の棚には、母がくれたトムの写真を入れたぼろぼろの封筒が置いてある。そのスナップ写真とこれらの絵との間には違いがある。

私はさまざまな写真を思い浮かべて、その違いがどこにあるのかを理解しようとする。たとえば、結婚式の日に撮影したタキシード姿のトムの写真がある。堂々としていてたくましく、少年のように幸せそうだ。また、大学院の卒業式に撮影した写真がある。がんのためすでにやせ、髪が抜けた頭を柔らかそうな角帽で隠しており、恥ずかしそうだが誇らしげでもある。ヒッコリー・ロードという通りにあった赤レンガの家で過ごした、幼年時代の一コマを収めた写真もたくさんある。落葉の山のなかを飛び跳ねたり、バースデーケーキを食べたり、ベッドで取っ組み合いをしたり。

こうしてとらえられたいくつもの瞬間、これら一つひとつの記憶はすべて、角が折れたこの写真と同じように時の流れのなかで失われてしまうおそれがある。だがそれらがすべて合わさって、もっと大きな、トムという人間全体の記憶をつくりあげている。それは、目を閉じれば呼び出すことができる。その記憶は、ティツィアーノのあの肖像画にとてもよく似ている。輝かしく、何ものにも代えがたく、色あせない。

その日最初の来館者がやって来る。私は、監視しやすい角に設定された自分の持ち場につく。そして、これらの展示室では、目を閉じなくても、望みの感覚を引き出せることに気づく。

＊

◇図4—ティツィアーノ・ヴェチェッリオが若いころに描いた若い男の肖像画に寄せて。

「くそっ、イエスの絵のなかにまたおれがいる！」

仕事を始めて最初の数週間で耳にした文句のなかでいちばん記憶に残っているのは、古の巨匠の展示エリアのなかでもいちばん時代の古い展示室を警備していたときに聞いたこの文句である。この展示エリアには、中央を貫くように二本の順路が平行に走っており、ゴシック時代後期からルネサンス時代初期までの絵画が並べられている。一方の順路はイタリアの絵画、もう一方の順路はフランドルおよびネーデルラントの絵画である。これらの絵は、実際に時代が古いというだけでなく、見た感じも古めかしい。ハンマーで打ち伸ばした金箔の背景の上に型押しされた後光、細かいひび模様の入ったガラスのようにひび割れた表面、紀元後一世紀ごろのガリラヤ出身の人物に対する異常なまでの関心（のちに数えたところセクションBには二一〇人のイエスがいる）、といった特徴を備えている。

あの文句を言っていた不幸な来館者には同情する。それでも私は、キリスト教徒ではないにもかかわらず、イエスの絵が大好きだ。これらの展示室を歩いていると、重苦しいながらも並外れて親密な家族のアルバムをめくっているような気分になる。たとえば、幼年時代を描いた、東方三博士の礼拝や聖家族、聖母子の絵がある。また、若者の人生の転機となった瞬間を描いた、洗礼や荒野の誘惑の絵がある。そして最後に、受難（Passion）の物語を描いた、ゲッセマネの祈り、鞭打ち、磔刑、哀悼、ピエタ（訳注：十字架から降ろされたイエスを膝に抱く聖母像）の絵がある（「Passion」という言葉は本来「苦しみ、耐え忍ぶ」ことを意味する）。

どうやらこの古の巨匠たちは、あらゆる才能や精力、あらゆる驚嘆や不安を、この短くも過酷な一人の人生の物語に注ぎ込んだようだ。

繰り返しこのエリアを歩いているうちに私は、イエスの人生のなかでも、言葉で表現された部分（イエスの生活ではなくイエスの説教）については取り上げられていないことに気づいた。たとえば、山上の垂訓を描いた絵は一つもなく、たとえ話を描いている絵もほとんどない。この古の巨匠たちは、イエスの人生のなかでもっとも感情を喚起する部分は、その人生の最初と最後にあると確信していたらしい。また、キリストを超自然的な存在として描いた絵（復活、昇天、王位につくキリスト）を見ると、それにもかかわらずはっきりと肉体を表現している絵が六点ある。後光がなければ、この受難者が人間を超える存在であるとはわからないほどだ。

メトロポリタン美術館にある絵のなかでおそらくもっとも悲しみを誘うのは、ベルナルド・ダッディが描いた絵だろう。ヨーロッパの人口の三分の一を死に追いやったと言われる腺ペストで死んだフィレンツェの画家である。その『キリスト磔刑』を見ると、そこに描かれた光景は、衝撃的ではあるが、さほど異常なものではない。キリストの体は凛としているが、もはや力が抜けている。その穏やかで優雅な姿勢は、キリストが勇敢に苦しみを耐え忍んだことを示している。マリアとヨセフは、地面に座って悲嘆に暮れており、誰よりも疲弊しているように見える。狂乱の一日が終わり、死だけがそこに残っている。ありのままの事実、計り知れない謎、どうしようもない最終的な状態だけが。

警備員である私は、その絵が当初意図されていたのと同じような目的で、この絵を利用できる。それに私は感謝している。一四世紀に活躍していた画家は、いつか美術史と呼ばれる部門に特化した専門家や教科書が現れるなどと夢にも思わなかったことだろう。ベルナルド・ダッディにとって絵画とは、痛みを伴う内省が必要なときに役立つ道具の一種だったに違いない。私は、イエスの絵のなかに新たなものや神秘的なものを見出そうとは思わない。ダッディは苦しみを描いたのだと私は思う。その絵は、苦しみを主題にしている。関心を向けているのは苦しみだけだ。その絵を見ると、誰をも沈黙させる苦しみの重みを感じる。さもなければ、その絵を見ていないも同然である。

私が思うに、偉大な絵画というものは見る者に、自明の事実を思い出させようとする。それが現実だと告げる。そこで立ち止まり、すでに知っていることについて時間をかけてもっとよく考えるよう促す。いまの私は、ダッディの偉大な絵画がはっきりと苦しみを提示しているのと同じようにはっきりと、恐るべき現実がもたらす苦しみを理解しているかもしれない。だが、私たちはこうした自明の事実を忘れてしまう。現実が生々しさを失ってしまう。だから、絵画のもとへ戻ってきては以前の自分を振り返り、もう一度自明の事実に直面しなければならない。

◇図5―ベルナルド・ダッディ『キリスト磔刑』に寄せて。

3……ピエタ

私が生まれたとき、兄のトムはまだ二歳にもなっていなかった。そのため、私が子どもだったころは兄も子どもであり、私が思春期だったころは兄も一〇代であり、私の二五歳の誕生日の直後に兄が死んだときには、まだ若かった。だが感覚的には、そのとおりだという感じはしない。弟から見れば、兄はいつも大人だった。

学校に通っていたころはいつも、学年の最初の日になると、担任の教師が急に名簿から目を上げ、半ばおもしろそうな、半ばびっくりしたような顔でこう言ったものだ。

「ブリングリー？　トム・ブリングリーの弟なの？」

私は一〇〇歳まで生きたとしても、いまだトム・ブリングリーの弟なのである。兄は非凡な子どもだった。教師を驚嘆させるか、うんざりさせるかのどちらかだった。中学生のときには、バスで地元の高校に通って数学の授業を受けた。高校生のときには、コミュニティ・カレッジに通った。数学は、教えれば教えるだけ理解し、ほかの教科も、どんな数学の天才児よりも巧みにこなした。余計な課題を与えても、その目からいたずらっぽいきらめきが消えることはなく、「どう、先生？　いい子にしてるでしょ？」とでも言いたげな顔をしている。そして誰もが、実際にそうであることを認めざるを得なかった。トムは快活で、辛抱強く、協力的で、謙虚で、普通のいい子だった。才能をひけらかすことはなく、無理をしているようにも見えなかった。実際、楽しそうにはしゃいでいる様子を見ていると、周囲の者も微笑まずにはいられなかった。

トムはその後、大学の博士課程に進む際に、純粋数学ではなく生物数学を選択することになるが、その理由を説明するときも気取ることはなかった（生物数学とは、私が理解できる範囲で言えば、生きた細胞のなかの液体の動きを研究する学問である）。

「純粋数学は言うまでもなく、きわめて美しい。すっきりしている。物理学もそうだ。それに比べると、生物学は全然すっきりしていない。収拾がつかないほど混乱している。パトリック、おまえはそうは思えないだろう。ぼくも、クリスタの有機化学の教科書を読むまでは、そうは思えなかった（クリスタとはデューク大学時代のガールフレンドで、のちに妻になる）。でもそうなんだ。たとえば、ぼくたちが機械をつくろうとする場合、その作業に論理的に取り組む。必要になる部品をなるべく減らして、効率よく滑らかに動くようにする。だけど生物は、まったくそんな仕組みになっていない。突拍子もないほど余計なものや、渦巻きのような流れで構成されている。一つの問題に対して、微妙に異なる選択肢が何百万とある。そのおかげで、四分の三がおかしくなったとしても生きていける。つまり生物は、簡単なことを超複雑に行なう装置なんだけど、それでも、頑丈な装置、想像もできないほど不可思議で、緊密に重層化された装置なんだよ。人間の脳は、極小の細胞のなかに隠された微細な巨大都市を理解するのに適していない。だからこそ想像できないんだ。ぼくはそれを知って、すてきだと思った」

トムは生物のことを「すてきだ」と言った。

また、ビールの入ったグラスから目を上げて、こう言ったこともある。

「何がすごいかわかるかい？　生きているものは、テントウムシもセコイアの木も、マイケル・ジョーダンも海藻もみんな、一つの生きた細胞から進化したってことさ。でも、もっとすごいことがある。何かわかる？」

弟が答えないでいると、こう続けた。「その一つの細胞だよ」。私たちはそれ以上言葉を交わすこともなく、それについて考えながら酒を飲んだ。その当時は、トムの左脚にある一つの細胞がいずれ突然変異を起こし、軍隊を招集して、トムを包囲することになるとは知らなかった。

トムは体格がよく、たくましかった。兄とけんかをしたときには、兄の頭に何かを投げつけて逃げられればいいほうだった。兄には、アメリカンフットボールの選手のようなところもあれば、コメディアンのクリス・ファーレイのようなところもあれば、仏陀のようなところも少々あった。兄が学生時代に二軍のアメリカンフットボールの試合に出たときのことはよく覚えている。そのときセンターだったトムは、ボールのスナップにみごとに失敗して大混乱を引き起こした。しゃがんだままその場にいた自分以外のチームメイト全員がオフサイドになったのだ。試合のあと、トムはきまり悪そうに肩をすくめつつも、いたずらっぽく指を立ててこう言った。

「ちなみにあのときの審判は間違ってた。『オフサイド、全オフェンスライン』と審判は言ったけど、こうつけ加えるべきだったよ。『ただしセンターは除く』とね」

トムは大学院に進学するため、二〇〇三年の秋にニューヨークへ引っ越した。そして二〇〇五年の夏に結婚した。私たちは、健康だったころにこの街で一緒に過ごした二年の間、だいたい月に一回ぐらいの割合で会っていた。これは、私が大学の友人と会う頻度より少なかったが、トムはそもそも大学の友人ではないし、急ぐ必要もなかった。いずれ私たちそれぞれに子どもができ、いとこ同士になれば、会う機会も増えるだろうと思っていた。

ところが、結婚後間もなくトムが左太ももに違和感を覚えるようになり、一一月には腫瘍を摘出した。放射線療法や化学療法のかいもなく、二〇〇七年一月にはがんが肺に転移した。トムの健康が悪化してからこの街で一緒に過ごした二年八カ月の間に、ニューヨークは徐々に姿を変えていった。大学時代のニューヨークと言えば、レコード店やレストラン、ワシントン広場の噴水だった。やたらと広くて、色どり豊かで、若い恋人と手をつないで歩くロマンチックな場所だ。ところが、大学を卒業してアップタウンに引っ越してからのニューヨークは、摩天楼や黄色のタクシー、あこがれの通りにある有名な住所など、会話をしたがる人がそのきっかけを見つける場所になった。そしてやがてトムが病気になると、ニューヨークは突如として、がん科の病室とクイーンズ区のトムのアパートだけとなった。

トムのアパート。

いまでも、目を閉じてトムのことを考えると、トムはいつもクイーンズ区のそのアパートにいる。ニワトリが足で引っかいたような文字が並ぶ紙の束を膝の上に置いて、擦り切れた赤いソファに座っている。テレビでは野球が放映されている。もはやトムは、がんのためにやせ、頭髪もない。その向かい側に私がいる。姉のミアもいる。母と父もいたが、夜になるといまやなじみとなったホテルへと帰っていった。トムは、人生の締め切りまでに数学の論文を仕上げようとしている。重病を押してでもこの論文を書きあげることだろう。誰もがその邪魔をしなければ。だがトムは、そんな邪魔を一向に気にしていない。むしろそれを喜んでいる。

「ねえ、トム」と私は言い、ほとんど意味のない長話を始める。時間をかけて物語の細かいところまで話をする。そんなことをするのは、トムに話を聞かせるのが誰よりも好きだったからであり、トムがそれを大いに楽しんでいたからであり、私もその姿を見て大いに楽しんでいたからだ。トムはソファに身を預け、わざとものわかりが悪いふりをして耳を傾け、兄の関心の的になってはしゃいでいる私に、延々と話をする機会を与える。そしてとうとう自分が話をする番になると立ち上がり、内容に合わせて身ぶりを交えながら、『白鯨』や野球、おばのジョアニーの話をする。あるいは、まわりくどい話をしたのちに落ちを伝え、一篇のジョークを仕立てあげる。そして、それが終わると腰を下ろし、日記作家のようにすらすらと、かみつぶしたペンを小刻みに動かすのである。ただし、彼が書いているのは英語の文章ではない。数学に使うギリシャ文字が何ページも並んでいる。いわば、等号が点々と散らばった『イーリアス』だ。

それがアパートにいたころのトムだった。

だがある日の午後突然、クリスタから電話がかかってきた。トムがなぜか急速に衰弱している、と悲痛な声で言う。私がアパートに出向くと、兄は意外にも怯えていた。

主治医に連絡すると、電話越しにこう指示された。「神経科医に診てもらいなさい。いますぐに。予約なんか気にしなくていい。すぐに車で連れていくんです」

兄の利き腕である左腕を私の肩にかけ、私は兄の体重を支えながら歩道に立ち、クイーンズ区の黒いタクシーが来るのを待った。

するとトムがささやくように言う。「で、パトリック。最近の調子はどうだい?」。私たちは互いに笑い合った。

現代の受難劇が繰り広げられる殺風景な待合室で、私はトムにゲータレードのペットボトルを手渡した。だがトムには、そのキャップを開ける力もなかった。インク染みのついた左の拳を振り上げ、そのキャップに何度も叩きつけている。私には、それが現実だとは信じられなかった。とはいえ、トムが落ち着きを失った姿を見たのは、そのときだけだった。トムはかろうじてこの自己免疫発作を生き延びたものの、それから数日が過ぎるころには、もはや瞬きもできないほど衰弱していた。

私は一度、兄にこう言ったことがある。「ねえ、トム。どうしてこんなことになっちゃったんだろう?」。こんなこととは、がんのことだ。すると兄は、首をかしげて言った。「それに答えるのは難しいな。生物数学をやっているとおもしろいことに、ときどきとんでもないことがわかる。それを考えるとすごいよ。この美しい理論数学、人間が観察と本能に基づいて見つけ出したこの言語はすべて、自然の本性を実際に描写していることがわかるんだ。信じられないぐらいにね。でも実際には、控えめに言っても、この研究を通じて謙虚な気持ちになる場合がほとんどだ。どうして軟部組織肉腫になったのか、誰かにわかるとは思えないな」。兄が興味深げに左脚を見ながら言う。「何らかの原因があるんだろうけど」

自己免疫発作がピークに達すると、トムは私たちを一人ずつ病室に呼んで別れを告げた。私は、胸が張り裂けそうな思いで病室を出ると、医療パンフレットの裏にこう記した。

すぐに言葉も話せなくなるだろう。それでもぼくは幸せだ。いろいろと運がよかった。家族がいる。クリスタの心配はしなくていい。数学の論文を書き終えていないのが残念だけど、まだあきらめちゃいない。兄貴のことは心配していない。立派な男だから。愛している。ぼくはいい弟だったと思う。寝落ちしている間に誰かがビデオを返してしまったのかな。誰もが苦しむ。ぼくも。誰もが死ぬ。ぼくも。苦しまないために薬を欲しがったり嫌がったりするんだろう。死ぬのはいいけど、苦しみたくない。誰でも年をとるから。クリスタは幸せ者だ。ぼくには楽しい思い出がたくさんある。ぼくと話をしてくれた楽しい思い出が。これは、映画を見ているうちに寝落ちして、見終わらないうちに誰かがそのビデオを返してしまうようなものなのかな。

だが意外にも、トムはそれから一年生きた。

＊

病院。

トムがいた小さな病室は、たいていは朗らかな雰囲気に包まれていた（実際には多くの病室を転々としたが、私の記憶のなかでの病室は一つだった）。単調な日々だった。クロスワード・

パズルをしたり、新聞を読んだり、テレビで野球を見たり、本を声に出して読んだり、ランチを注文したり……。トムは病状が進んでもあわてることはなかった。新たな宗教を求めることもなく、これまで好み、愛してきたものを好み、愛した。私が思うに、そのおかげでこの空間が一種の後光に包まれた。どの野球もすばらしい試合になり、どの本もすばらしい内容になり、見舞いに来るどの友人もすばらしい巡礼者になった。すべてがシンプルで、すべてが私たちを抱擁していた。

トムはラファエロの絵が好きだったので、病床の上には『ヒワの聖母』という絵が画鋲で留めてあった。ときには、ディケンズの小説が大のお気に入りだった父が、そのペーパーバック本を開き、悲しくも笑いを誘う一節を読みあげた。偉大な芸術がこれほどたやすく日常の空間に入り込んでいるのが不思議だった。私は以前から、芸術はそういうものではないと思っていた。特に大学生のころは、偉大な芸術とは、呆然と見上げたりじっと見つめたりするもの、自分より高貴な人々が大聖堂にちりばめたり、偉大な書物のなかに挿入したりするものだと思い込んでいた。だがいまでは、受難劇のような崇高な物語でさえ、神秘的ではなく身近に感じられる。この部屋で起きようとしているごく普通のことを、ごく普通に表現しているものに思える。

やがて夜が訪れる。トムの具合が悪くなると、夜も誰か（たいていはクリスタ）が付き添った。トムが眠っている間は、音を消してテレビを見ていた。その病室は、信じられないほど静かだった。というより、病室にまつわるあらゆるものが、とても信じられないような性質を帯びていた。そこにはトムがいる。昔懐かしいあのユーモアに富んだトムがいる。かつてはたくましく躍動していたが、いまは穏やかで気品さえ帯びているその身体がある。なんと美しい時間だろう。しばらくすると、トムを横向きに寝かせ、その筋肉に拳をあて、円を描くように痛む背中をさする。トムはうめき声をあげ、そっとありがとうと言う。やがて静けさが戻ってくる。トムが息をしているのを見守る。

そんなある日の夜明けごろ、私は母とベッド脇に座り、母が何もかも受け入れる姿を改めてまのあたりにした。眠っている息子を見つめていた母は、やがて私を見つめ、夜明けの光を、瀕死の肉体を、それがもたらす恐怖を、その気品を見て取ると、こう言ったのだ。

「私たちを見て。ねえ、いまの私たちって、あのすばらしい古の巨匠の絵みたい」

＊

数カ月後、私たちは母の四人のきょうだいが暮らすフィラデルフィアを訪れた。誰もが想像するように、二六歳の息子を埋葬したあとに、きょうだいや大人になったその子どもたちと話をするのは、慰めになる反面つらくもある。そこで私は、どこか静かで落ち着いた場所を探そうという母のアイデアに従い、母と二人でこっそり出かけることにした。車の窓から外を眺めると、ふだんどおりの都市生活が営まれている。ジョギングをする人、犬の散歩をする人など、誰かが死んだからといって世界の動きが止まるわけではないことを証明するものであふれている。私たちはベンジャミン・フランクリン・パークウェイから脇道へ入り、フィラデルフィア美術館で車を停めた。

私の記憶では、その美術館は、来館者がついさっき突然魔法をかけられて塑像になってしまったのかと思えるほど静寂に満ちていた。あまりに静かなので、白っぽい石の床に響く自分たちの足音まで聞こえる。私たちは、黄金のディアナ像へと向かう階段を登っていった。その像は、ボールの上に一本の脚だけで永遠に立ち、片手で弓の弦を永遠に引き絞っている。

母は、この巡礼の旅を先導するように前を歩いている。色あせたタペストリーや彩飾された写本が展示された部屋を抜け、古の巨匠の絵画が集められた展示室へと入っていく。そこは、教会や修道院に似ていた。ステンドグラスの窓があり、石づくりの洗礼盤があり、母モーリーン・ギャラガーがフィラデルフィアで過ごした少女時代になじんでいた、苦しみや恵みを描いた聖画がある（母はずいぶん前にカトリック信仰を捨てていたが、これらの絵に描かれた光景に対する思いに変わりはなかった）。実際、その展示室の雰囲気には間違いなくなじみがあった。ただしその理由は、少女時代の格子柄のスカートや厳格な修道女とは何の関係もない。そこには、トムのベッド脇で過ごしたあの数カ月間と同じ雰囲気があった。言葉にできない神秘、美、痛みの雰囲気である。

私たちは無言のまま二手に分かれ、悲しくも色鮮やかな、それぞれの心境にふさわしい絵を探した。私が見つけたのは、七世紀前に無名のイタリア人画家が平易かつ実直な様式で描いた、宝石のようなパネル画だった。小さめのポプラの板にテンペラ絵の具（卵の黄身をベースにしたもの）で描いた、岩屋の入口で新生児を抱く聖母マリアの絵だ。奇跡の星が二人の頭上で輝き、王たちと天使たちとがその光景を称えようと集まっている。マリアはそんな騒ぎを気にすることもなく、飼い葉桶のなかですやすやと静かに眠っている幼子を見つめている。このような光景を題材にした絵は、「（キリストの）礼拝（Adoration）」と呼ばれる（訳注：「Adoration」には「崇拝」「愛情」「憧憬」などの意味もある）。

私はその美しい言葉を思い浮かべ、そんな瞬間に湧き上がる愛情のこもった崇拝の気持ちを表すのにうってつけの名称だと思った。私たちはそのような光景を見ると口を閉ざし、日常生活の喧騒のなかではごく弱くしか感じられないが、隠しきれないほど生気にあふれているものに心を貫かれ、穏やかな気持ちになる。そんなときに、その崇拝の対象になるものを説明する必要はない。背景や状況を説明しても、どこか神秘的でないごく普通の神秘をわかりにくくするだけだ。おそらくは誰もが、眠る子どもや恋人に対して、昇る朝日や打ち寄せる波に対して、あるいははるか昔のイタリア人が美しく描きあげた絵や聖遺物に対して、そう思った経験があるはずだ。私自身、兄が両手をぎゅっと握り締めて勇敢に痛みに耐えている姿を見て、そう思わなかったことはない。そこには、奇跡の星から降り注いでいるかに見える、独特の澄みきった光がある。古の巨匠の絵画に見られるのと同じ、あの澄みきった光が。

私はその絵が展示されていた場を離れると、母を探しに、ルネサンス初期の絵画の展示室に向かった。母は、私が見つけた絵よりも粗野だが美しく、はるかに真実味のある絵に魅せられていた。それは、一四世紀に活躍したフィレンツェの画家、ニッコロ・ディ・ピエトロ・ジェリーニの絵だった。これと言って特徴のない金を背景に、きわめて美しくはあるが明らかに死んでいる若い男と、その体を支える母親とが描かれている。母親は、まだ生きているかのように息子を抱いている。「(キリストの)哀悼」あるいは「ピエタ」と呼ばれる題材である。

母は以前から涙もろかった。結婚式のときも映画を見ているときもよく泣いたが、今回は様子が違った。両手で顔を覆い、肩を震わせている。よく見てみると、母が泣いていたのは、心が満たされると同時に砕かれたからであり、その絵が母親の愛情を目覚めさせ、慰めと同時に苦しみをもたらしたからだった。私たちは、崇拝するときには美に目を向ける。哀悼するときには、「人生とは苦しみである」という古くからの格言が持つ知恵に目を向ける。偉大な絵画は、日常生活の底にある基盤のようなものなのかもしれない。そこには、あまりに過酷で、露骨で、辛辣なために、とても言葉では表現できない現実がある。

一時間か二時間を美術館で過ごすと、その基盤の上にそびえる現実の世界に戻る時間となった。両親と姉のミアは飛行機でシカゴに帰った。私はアムトラックの列車に乗り、第二

◇図6—ニッコロ・ディ・ピエトロ・ジェリーニ『死せるキリストと聖母マリア』に寄せて。

の故郷であるニューヨークへ向かった。私はそのとき二五歳だった。歩行者がせかせかと足早に行き交うミッドタウンに戻ってきたが、広い意味で、どこへ行けばいいのかがわからなかった。それまで華やかなデスクワークをしていた近くの高層ビルには戻れそうもない。幸運に恵まれて手に入れた仕事だが、いまとなってはもう受け入れられなかった。互いに争い合い、傷つけ合い、力ずくで前へ進んでいくような道は、もうたどれそうもない。私は大切な人を失った。その事実から離れたくなかった。というより、まったく動きたくなかった。フィラデルフィア美術館に行ったときのように、沈黙のなかで過ごし、周囲を歩きまわっては元の場所に戻り、そこにあるものと心を通わせ、みごとな作品に目を向け、悲しみと美しさのみを感じていたかった。

私は、疲れきった乗客だらけのブルックリン行きの地下鉄に揺られながら自宅に向かった。そのころになると、あるアイデアが形になり始めていた。数年前から、ニューヨークの巨大な美術館で働く男女がいることに気づいていた。研究室に身を隠している学芸員ではなく、ありとあらゆる部屋の角に立って監視をしている警備員である。私もその一員になれないだろうか？　それほど簡単にはなれないのだろうか？　前へ前へと進み続ける世界から脱け出し、このひたすら美しい建物のなかで一日を過ごせる、そんな抜け穴が本当にあるのではないだろうか？　私はブルックリンの五番街を歩き、メキシコ料理店をいくつか通り過ぎ、エレベーターのない建物の三階にある自分のアパートへとたどり着いた。そしてドアの錠に鍵を差し込むころには、何もかもがごく簡単なことに思えてきた。

こうして私は二〇〇八年の秋、メトロポリタン美術館の警備員の仕事についた。

4……数百万年

この仕事を始めて四ヵ月目の終わりに、労働組合の事務所へ行くようにと言われた。事務所とは言っても、古代エジプト美術の展示エリアの下にある物置である。そこへ行くと、カーターというきまじめな組合長が私を招き入れ、珍しいことにファーストネームで呼びかけながら言う。

「おめでとう、ええと、パトリック。これで試用期間は終わり、きみは晴れて第三七地区委員会一五〇三支部の一員になった。この書類に記入して私に提出してくれ。よしよし。すぐに、病欠時間や年次休暇時間の給付確定率がぐんと上がるよ。ただし、一年勤続するまで昇給はない。そのあとで、たぶん次の春ぐらいかな、最初の長期休暇の日程調整のための呼び出しがある。だけどきみがその休暇をとれるのは、その次の冬、二月ぐらいかな。休暇の取得時期を決めるのは、勤続年数順と決まっていてね。その時期しか空きがないんだよ。でも、派遣局もこれからはきみをいろんなセクションに配置するだろうから、少なくともそういう意味では多少旅行ができるよ……説明はそれぐらいかな。住所の変更があったら教えてくれ。そこに組合員証を郵送する。これから制服局に向かって、靴を受け取ってくれ。ああ、それと、次の給与明細には最初の靴下手当が入っているはずだから、確認しておくように。靴下代として年間八〇ドルもらえる」

「ありがとうございます、組合長」。私はそう言うと、給与明細のどこに靴下手当が書いてあるのだろうかと思いながら事務所を出る。

普通の日の朝、私は東八二丁目から、威風堂々たるボザール様式のファサードや円柱、そこから優雅に広がる大理石の階段を正面に見ながら、美術館に出勤する。だが、警備員がその大理石の階段を登ることはない。建物正面の隅に座って、デリカテッセンのコーヒーを飲んだり、おしゃべりをしたり、たばこを吸ったり、何ごとかを考えたり、《ニューヨーク・タイムズ》紙や《デイリー・ニューズ》紙を読んだりしている早起きの同僚たちを横目に見ながら、東八四丁目に隣接する守衛所へ向かう。

M1系統のバスが、アッパー・マンハッタンからやって来る警備員たちを降ろしていると、「そのドアを押さえておいてくれ！」と誰かが叫び、遅番（深夜勤務）の警備員たちがそのバスに乗って帰ろうと、私の行く手を全速力で横切っていく。守衛所にたどり着くと、何の変哲もない白いトラックが、荷物搬入口に入る許可を受けている（ルーヴル美術館から借りた芸術作品を運んでいるのか、子どもの食事に使われるホットドッグ用のパンを運んでいるのかはわからない）。私はもう一つの守衛所へ行き、そこで認証カードを機械に通すと、私の顔がモニターに映し出される。「おはよう」。私の名前は知らなくても顔は知っているベテランの同僚から、挨拶を受ける。

重い金属製の扉を押してなかに入ると、帯同局の外で待っている請負業者の集団が道をふさいでいるが、すぐにつなぎの作業服を着た警備員が彼らをどこかへ連れていってくれる。この美術館では、いつもどこかしらで改修工事が行なわれている。だが、電動工具を持った人間を勝手にうろつかせるわけにはいかないので、帯同者が一日中彼らに付き添う。

ヘルメットをかぶった労働者は、地階の美術館の美観にすんなり溶け込む。なにしろ足元はコンクリート、頭上は導管や配管で覆われ、周囲には梱包用の木箱が積まれ、パレットの上には多言語の地図が散らばっているのだから。だが、そんななかにも装飾的な要素はある。たとえば、過去一〇〇年余りの間に美術館内やその周辺で撮影された古い写真がいくつも飾ってあるところがある。五番街沿いに並べられて防水布を掛けられたデンドゥール神殿の石、アスター・コートと呼ばれる中国庭園の建設を見守るアスター夫人、『デラウェア川を渡るワシントン』を見つめるイーディス・ウォートン風の衣装に身を包んだ二〇世紀初めごろの女学生などだ。

そのなかに、古典様式の戸口の側柱に背をもたせかけてカメラをまっすぐ見つめている警備員の古い白黒写真がある。その警備員は、体の後ろで両手を組み、その手で尾骶骨《びていこつ》のあたりを支えながら、両脚を三〇度ほどの角度で開き、両足首を交差させている。その当時は、美術館の展示室の下にあたるこのあたりに、射撃練習場があった。そこで年に一回競技が行なわれ、昼勤の警備員と夜勤の警備員とが腕を競い合ったらしい。私のお気に入りの写真は、ティファニーが特注でつくったトロフィーのそばで、ピストルを構えてポーズをとる勝利チームの写真だろうか。

私はそのまま派遣局に向かうが、その途中にある指令センターを通り過ぎるときには、どうしてもそのなかをのぞき見したくなる。その部屋の前では、黒いスーツに身を包んだ上司のなかの上司、すなわち保安責任者が入室コードを入力している。この人物が扉を開け、後ろ手に扉を閉めるまでの間に私がのぞき込むと、閉回路のテレビモニターがずらりと並んでいる。だが、ここで一〇年働いても、その部屋のなかを堂々と見る機会は一度たりとも訪れなかった。

それに比べると、派遣局は気楽だ。カウンターには、規定外勤務が可能な日を専用ノートに書き込んでいる警備員や、休暇申請書に記入している警備員、二週おきに発行される従業員向けの会報『メット・マターズ』をぱらぱらとめくっている警備員がいる。カウンターの奥では、わずかばかりの派遣管理者がコンピューターを凝視しているなか、ボブという白ひげの男だけは腰を下ろすことなく、巨大掲示板と格闘している。ボブは、五〇〇人以上いる警備員の名前をすべて覚えている稀有な存在だ。私たちが入って来ると、ボブはそれぞれの名前とホームセクションを記したマグネットタイルを探し、美術館のさまざまなセクションを示すマスにそれを貼りつけていく。

各セクションには目安となる人員数が設定されているが、その日の招集人数により、追加の持ち場をつくることもあれば、あるセクションの人員を減らしたり、一部の展示室を閉鎖したりしなければならないこともある。こうして持ち場が決まると、「ブリングリー、セクションA！（中世）」とボブが大声で叫ぶ。あるいは、「R！（近代）」、「K1！（古代ギリシャ・ローマ）」、「F！（アジア）」、「I！（一九世紀）」、「G！（アメリカ）」など、ほかの時代や文化、地域の場合もある。今朝は「ブリングリー、セクションH！」だった。それが古代エジプトの展示エリアであることを思い出すまでに、一秒もかからない。

「セクションH」と私は復唱する。そしてこの部屋に入ってきたときの勢いそのまま、弾かれたピンボールのように部屋から出る。

ロッカー室に向かう途中、同僚たちが情報交換をしている。

「今日はどこだった？」

「C（大ホール）。どうなってんだよ、まったく。今週三回目だよ。あんたは？」

「J（現代美術）。よくも悪くもないかな。ロッカーから遠いけど、まあいいさ。ボブはどうやって決めてるんだろうな？」

「さあね。以前は、早く出勤すればいつも自分のホームセクションに配置してもらえると思っていたけど、そんな法則があるんじゃないかと思うたびに、ボブはやり方を変えてくるんだ」

　こうして間もなく、まだ私服姿で降りていく警備員と、制服姿で上ってくる身ぎれいな警備員とを分ける階段にたどり着く。だが私はそこで、ジョニーにズボンの修繕を頼んでいたことを思い出す。ジョニーとは、美術館の服飾係である。

　私はその階段を降り、制服局の部屋に入る。皆から「ジョニー・ボタン」と呼ばれている男が、紺色のスーツが並んだラックのそばで、ミシンに向かって仕事をしている。壁には、ブレザーのボタンの正しい留め方を手書きの矢印で示したブルックスブラザーズのポスターが貼ってある。朝鮮戦争の兵役経験者だというジョニーは、ぶつぶつ不平を言う癖があるのに、誰からも好かれている。私の姿を見ると、くわえていたピンを取って口を開く。

「ズボンだろ？　ポケットの破れたやつ……なあ、あのポケットで何をしていたんだ？　いや、まさかあれじゃないだろうな？」

　ジョニーは立ち上がり、引きずるような足取りでラックへ向かったが、途中で止まり、私のほうを見やって言う。

「まったく、絵に描いてあるのは本物の裸の女性じゃないだろう……」

そこへ別の警備員が入ってくる。スティーヴだ。

するとジョニーが、私のことをスティーヴに話し始める。「こいつに言ってたんだ。手はポケットから出しておきなって。紳士らしくな」

だがスティーヴは、そんな話は無視してまくしたてる。

「ジョニー、おれはどうしたらきちんとしたシャツを手に入れられるんだ？　これを見てみろ。これじゃ窒息しちまうよ。おれは言われたとおりにしてる。『汚れた衣類』って書いてあるそこの箱にシャツを入れておいた。そしてしばらくしてから、ドライクリーニングされたあのきれいなシャツが戻ってきてると思って、おれのシャツが置いてあるロッカーを開けたよ。アイロンがけされたあのきれいなシャツがあると思ってな。ところが、戻ってきたのがこれさ！　これはおれのじゃない！　おれはここで一〇年も働いてるんだぞ？　この襟を見てみろ！」

ジョニーは相づちを打ちながらスティーヴの話を聞いていたが、やがてその話が終わるとこう言い返した。誰でも知っているように、シャツは自分の担当ではない、ダンクワース氏に言ってくれ、と。

スティーヴはいきりたった。

「ダンクワース氏に言え……早くここから出ていってダンクワース氏に言えだと。あんたはそれですむと思ってんだろ、ジョニー。一日中のんびり座ったままボタンの縫いつけだけして、あとはダンクワース氏に言えって言えばいいんだからな」

ジョニーが言い返す。

「ああそうさ、あんたはどうなんだ？　ぼさっと立ってあのくだらない銅像たちと話をしているだけだろ？」

すると二人は声をあげて笑い、ジョニーが修繕したズボンを私に差し出す。

ロッカー室は、金属製の扉を開け閉めする音や、十数カ国語で交わされる無数の会話で騒々しい。私は、歯を磨いている男、ひげを剃っている男、さまざまなレベルの裸で朝食を食べている男のそばを通り過ぎていく。視力が衰え、足をひきずっている男もいれば、洗練と熟練の度を極め、靴をぴかぴかに磨きあげている男もいる。

自分のロッカーがある列にたどり着くと、詫びを入れながら、ロッカーの前で着替えをしている大人の男たちをかき分けていく。どのロッカーもそうであるように、ここのロッカーも高校生が学校で使いそうなほどのサイズしかない。

日によっては、この部屋全体が共通の話題で盛り上がることもあるが、今朝は主に二人ずつがペアになって雑談をしている。バングラデシュ出身のラーマン氏は、カイゼルひげをたくわえたポーランド出身のユージンと冗談を飛ばし合っている。ヘビメタ柄のマッスルシャツを着たニュージャージー州出身の若者サルヴァトーレは、ハーレム生まれのジャクソン氏と男性のファッションについて語っている。穏やかな話し方をするフィリピン移民第二世代のネイサンは、リベリアから移住してきた視覚芸術家のトミーと共通の衛生習慣を実践しながら、会話を楽しんでいる。靴を脱ぐ前に、コンクリートの床にペーパータオルを敷いているのだ。

やがて、二〇年来隣で着替えをしてきたニューヨーク生まれのルイスとJTが堂々巡りの議論を始め、誰もが注意を向けずにはいられないほど騒々しく、ばかばかしいものになっていく。私は気さくな会話に耳を傾けながら急いで制服を着て、「M」をかたどった金色のピン二つを襟の折り返しに留め、休憩時間に読むペーパーバック本をベストのポケットに突っ込む。そのとき、ベストの内ポケットに修正液で書かれた従業員番号が消えかけていることに気づいたが、それには構わず、ポケットを叩いて笛と鍵があることを確認し、会社の靴を履き、ワインレッドのネクタイをクリップで留める。私はその間、仕事仲間とほとんど話をしないが、ここには互いに相手の邪魔をしない不文律のようなものがあり、誰も気にかけない。

聞いた話によると、木の根はその枝が張っている幅と同じぐらい広く張っているという。メトロポリタン美術館もそれと似ており、展示エリアの下にある地下の二つの階は、一般人が知っている地上階のエリアと同じぐらい果てしなく広がっている。優秀な警備員になると、その全体像を三次元的に記憶しているため、自分が地下のトイレの外にいるときには、その頭上にアステカの神々がおり、そのまた頭上にはセザンヌの描いたリンゴがあることを把握している。

一方、私はそれほど優秀ではないため、ときどきまったく覚えのない場所に迷い込むことになる。木工やプレキシガラスの工房や、保存用の作業室や保管施設、現役の武器庫の前を通り過ぎたすえに、ようやく上りの階段を見つけ、その階段を上りきったときに初めて、どの芸術作品の世界に自分がやって来たのかに気づくといったありさまだ。

今日は、ローマ皇帝アウグストゥスの石膏像（かつてはこのような石膏像を飾るのがはやったものだが、いまは舞台裏の装飾と化している）が置いてある角を曲がり、階段を上がると、古典芸術の展示エリアに出た。右側が古代ギリシャ、左側が古代ローマである。ヘレニズム様式の運動選手の尻が目の前にあり、その後ろから上にかけて、イオニアにあったアルテミス神殿の堂々たる円柱がある。私は、セクションHの主任のデスクに向かういちばん効率のいいルートを頭のなかに思い描くと、大ホールを横切って、古代エジプトの展示エリアにたどり着く。

「あなたがブリングリー？」

「ブリングリーです、主任」

「わからなくてごめんなさいね。あなたは第三隊？」

「そうです」

「今夜、規定時間外の勤務はできる？　夜勤で、ペトリコートの隊なんだけど。賃金は五割増し」

「いえ、できません」

「わかった。今日は三班、休憩は三番目」

「三班というと……神殿とかですか？」

「いえ、ここの正面にあるペルネブの墓とかそのあたり。ちょっと待って。いまメモを渡すから……」

主任は、私の後ろにほかの警備員が並んでいるというのに、私のような新人向けに作成された小さな早見表に留意事項を書き込んでくれた。

「じゃあお願いね、ブリングリー。次」

＊

古代エジプトの展示エリアは、他に類を見ない仕事場だ。二万六〇〇〇点に及ぶエジプト関連のコレクションのほとんどを展示できるほどの広大なスペース、この美術館のほかの部門の学芸員たちがあやかりたいと思うほどの豪華さを誇る。だがそれほどの規模にもかかわらず、そこにはほかとは異なる統一感がある。その品々のすべてが、否定しようもないほどエジプト的だからだ。三〇〇〇年もの長期にわたりアイデンティティを失わずにいられた民族など、古代エジプト人以外にない。それらがもたらす美は、この展示エリアに入った瞬間から感じられる。

　エジプトは何よりもまず、私たちの想像力に対するこのうえない贈り物である。王家の谷、ピラミッド、周期的に氾濫するナイル川……これらは空想の産物のように思えるかもしれないが、いずれも本物なのだ。メトロポリタン美術館のなかで、この展示エリアほど幅広い層に訴える場所はない。学童も野外調査を好む教授も、ニューエイジのヒーラーもアフリカ未来主義の漫画家も魅了する。ここで警備員の仕事をしていると、来館者が投げかけるきわめて象徴的な質問を何度も耳にすることになる。「ねえ、これって本物なの？」

　私は、紀元前二三五〇年ごろにつくられたペルネブの墓のそばに立つ。マスタバと呼ばれる石灰岩製の地味な構造物だ。やがて若いカップルがやって来る。その服装やふるまい方からして、ニューヨークの若者らしい。私はこうした判断がすぐにできる。ただしこの二人は明らかに、初めてメトロポリタン美術館に来たようだった。もしかしたら、美術館そのものが初めてなのかもしれない。それを物語るかのように、目を見開き、頭をコマのようにくるくる回し、わくわくしているというよりおどおどしている。自分たちが何を目にしているのか、まだよくわかっていないのだろう。

　男性のほうが尋ねてくる。

「すみません。彼女が、この展示物やなんかは全部本物だって言ってるんですけど、そうなんですか？」

私はそうだと答える。

「でも、それってどういうことなんだろう？　これはその、現物なの？　実物なの？　エジプトにあったってこと？」

私はエジプトにあったものだと答える。

すると今度は女性のほうが話しだす。「じゃあ、ここにあるのは……」。そう言いながら花崗岩でできたライオンのたてがみをなでようとするので、私は優しく注意する。

「ああそうね、ごめんなさい。じゃあここにあるのは、どれぐらい前のものなの？」

私は五〇〇〇年前のものだと答える。

「五〇〇〇年前？」と女性が言う。

「五〇〇〇年前だって！」と男性も言う。二人はふざけて、大したことではないかのようにそれを何度も繰り返していたが、やがて男性のほうが、私に本心を打ち明けるように言う。

「でもさ、これ全部が本当に本物だなんて信じられないよ」

私はこういう人たちが好きだ。

彼らは、この美術館のなかでも最古の遺物を収めたケースをのぞき込み、旧石器時代の手斧や新石器時代の矢じりをしばらく見つめている。それほどゆっくり時間をかけていられるのは、この美術館の巨大さをまだ知らないからだろう。

女性が連れの男性を肘で小突き、説明書きに記載された情報を指差す。彼女が何に注意を引かれたのかは想像がつく。あの手斧は、紀元前三〇万〜九万年のものなのだ。つまり、アメリカの歴史のおよそ一〇〇〇倍に相当する時間枠のなかのどこかの時点でつくられたということである。そこから三〇センチメートルほど視線をずらすと、彼らは数万年の時を超え、人類（特にエジプト人）が本領を発揮し始めた世界へと誘われる。そこには七〇〇〇年前に火打石でつくられた優美な矢じりがある。それで小鳥を撃ち落としていたのだろう。二人はひたすら集中している。おそらくは、これら先史時代の遺物との間にある、信じられないほどの隔たりを実感しているのだ。あるいは、その手斧が自分の手にしっくり収まりそうなことに驚いているのかもしれない。それとも、数十万年という時間がいったいどんなものかと想像しているのだろうか。ほかの人々にとってはあまり現実的ではないこれらの展示物が、想像力に富む努力を重ねるうちに、二人にとって現実的なものになっていく。

私はそう考えて深い感銘を覚える。このケースを設置した学芸員でさえ、その中身を、現実に関する日常的な思考にこれほどみごとに組み込めるとは思えない。地質学的な時間や天文学的な空間と同じように、私たちは、人類の系譜の圧倒的な長さを垣間見ようと全力を傾けさえすれば、それを垣間見ることができる。だがふと我に返った瞬間に、これらの現実を忘れてしまう。それを考えると、いつでも戻ってきてそれを思い出すことができる美術館という場所があることに、感謝しないではいられない。

かなりの時間がたってから、女性が振り返り、笑みを浮かべ、連れの男性を揺さぶる。無限に延びているかのように見える古王国時代の展示物の順路を、いまようやくはっきりと目にしたのだ。その瞬間に二人は、速足で見てまわる一般的な来館者へと姿を変えた。男性が腕時計を見る。女性は、ここに来た目的を改めて確信して目を細める。そして二人は、何ものも見逃すまいと、エジプトの歴史のなかへと遠ざかっていった。

さようなら、お二人さん。私は心のなかでそう言い、その場に留まる。私の後ろにある墓は、来館者の順路の分岐点になっている。私が見たところ、その後増えてきた来館者のおよそ半分が、学芸員が意図していた方向とは反対の方向へ流れていく。最後のファラオの没落から始まり、クレオパトラを経て、大ピラミッドの時代、王朝誕生以前の時代へと数千年をさかのぼっていく。だが、エジプト芸術の大半は驚くほど時間を超越している。だからこそ多くの来館者は時間をさかのぼっていることに気づかないのだろう。

やがて押し出しを受け、主要順路から離れていて見過ごされがちな展示室に移動する。そこには、著しい成果のあった一九一八〜二〇年の発掘調査で、この美術館が発掘した遺物の半数がある（残りの半分はエジプト政府に引き渡された。それが当時の標準的な決まりになっていた）。

その発掘の際、メケトラーという資産家の（荒らされた）墓の周辺を調査していたところ、ある作業員が、砂が岩の割れ目に流れ落ちていくことに気づいた。そこで、つるはしでそこを掘ってみると、墓荒らしも気づかなかった部屋が現れた。そこには貴重な遺物が、四〇〇〇年も手つかずで残っていた。金ではない。宝石でもない。彩色された木製の人形が二〇〇体余りである。そのほとんどが高さ二〇センチメートルほどで、精巧につくられた模型の船のなか、あるいは忠実に再現されたミニチュアの醸造所や庭、穀倉などのなかに寄せ集められている。これらは、高官メケトラーが所有するさまざまな地所で働く本物の男女の分身だった。来世でもこの主人のために働けるように、そこに置かれているのだ。

私は、醸造所とパン製造所が一緒になったミニチュアの部屋に近寄る。この展示室にあるものはすべてガラスで覆われているため、来館者の手の動きに注意する必要がなく、少しだけリラックスできる。私は折に触れてエジプトの歴史に関する本を読んでいるが、本を読む経験と芸術を実際に見る経験とがいかに違うかを改めて痛感する。本から情報を得ても、エジプトに関する私の知識は増えていくだけだ。だが実際にエジプトの遺物の断片に触れると、ほとんど身動きできなくなるような気持ちになる。これが、芸術作品の本質的な側面なのだ。それを見ると、その意味について何も考えないまま先へは進めない。芸術作品は、主題に関するいくつかの要点を理解すればそれでいいと見なす世界を軽蔑しているかのようだ。実際、そんな要点を伝えてはいない。芸術作品は、あまりに大きく、あまりに奥深いために要約しきれないものについて語っている。何も言葉にすることなく、それを語るのである。

その展示物には、ひどく窮屈な光景があった。一八体の人形が、狭苦しい一画で仕事をしている。頭を剃りあげた上半身裸の男性もいれば、肩まで髪を伸ばした、片方の肩がむき出しの亜麻の仕事着を着た女性もいる。穀物の製粉作業は女性の担当であり、女性一人ひとりが、ばらまかれた穀物の上に円筒形の石を置き、それを前後に延々と転がしている。一方男性は、自分の身長と同じぐらいの杵で穀物を砕いたり、生地と水を混ぜ合わせたものを足でこねたり、手でパンの形を整えたり、ビールの原料を大きな桶に入れて発酵させたりしている。これらすべてが、収納ボックスの二倍ほどのスペースに収められている。

エジプト人は時間について、私たちとは違う考え方をしていた。エジプトでは、「時間」を意味する「ネヘフ」は「数百万年」を意味し、時間は直線的に進むのではなく円を描いて進むものと考えられていた。太陽は昇っては沈み、また昇る。ナイル川はあふれては引き、またあふれる。星は、定点の観察者の周囲を完全な規則性に従って動く。それらと同じように、偉大な時間の輪は死者を捨て、新生児を招き入れる。その新生児も次第に成長し、成熟し、いずれは衰える。つまり、何もかもが絶えず流動しているが、実際に変わるものは何もない。それが、自然を観察すれば明らかな万物の本質だと考えられた。

そしてそのパターンが来世にまで延長された結果、メトロポリタン美術館に収蔵されている人形たちの終わりのない労働が必要とされるようになった。そのなかでも特に女性の人形を見ていると、私は胸の奥深くで、彼女たちにとっては過去も現在も未来も違いはなかったのではないかと思えてくる。毎日毎日あの円筒形の石を転がし、決して終わりはない。それどころか、終わるものなど何もない。ピラミッドは、この時代にはすでに古代のものであり、その後も数千年にわたりエジプト文化のよりどころとなった。そんな時代に、前進する歴史

◇図7—エジプト展示室にある、狭苦しい一画で労働する「18体の人形」に寄せて。

を想像することなどばかばかしく思えたことだろう。

そのとき携帯電話の着信音が響きわたり、私の夢想を追い払った。

私は、その着信音の出所の人物のほうを向き、静かに頭を横に振る。ここでは通話は禁止ですよ、という意味だ。だがその男に、ルールを守る気はないようだ。横柄に指を一本立て、電話の向こう側の相手と急ぎの用件について話を始める。私は、男が電話を終えるのを待ちながら(一分の猶予を与えるつもりだった)考える。自分にはこの現代世界においてしなければならないことなどほとんどない。このビジネスマンとは違い、それどころか大半の人々とは違い、私には誰かにパスすべきボールも、前に進めるべきプロジェクトも、目指すべき未来もない。この仕事を三〇年間続けたとしても、何の進歩もないに違いない。来館者はいつまでたっても、ミイラやトイレの場所がわからないままだろう。相変わらずツタンカーメン王の墓について尋ね、その花崗岩製の石棺に触れようとするのをやめないだろう。つい最近まで私は、そんな仕事とはまったく違う仕事をしていた。私はそこで「出世しそうだ」と言われていた。先ほどのビジネスマンがようやく電話を終え、あたりにまた静寂が戻る。私は、どこにも行かない自分を幸せだと思う。

＊

大学を卒業した私は(まだトムが病気になる前の話だ)、雑誌《ニューヨーカー》の仕事に応募した。そこに就職が決まったときには、言葉にできないほどうれしかった。新社会人でしかないのに、重要人物から認められたかのような、トップレベルにまで駆け上がったかのような気になった。職場のビルは、ブロードウェイからすぐの四二丁目にあった。二〇階でエレベーターを降りると、本の重みでつぶれそうな受付カウンターに、C・スタンリー・レッドベター三世という人物がいた。その右と左には、ガラスのドアと金色のロゴがあり、それがこの企業の公正さを示している。だがそのドアにたどり着くにはまず、この堂々たる受付係が設置した奇妙な現代アート作品の間を通り抜けていかなければならない。その作品を構成する要素の一つひとつが、こう語っていた。「そう、おまえは《ニューヨーカー》の本社にやって来たのだ」と。

スタンリーは私の幸運を祈ると、「ゲラ」とか「校正刷り」と呼ばれる見慣れないものを持って編集者が行き来している廊下を案内してくれた。間もなく私は、自分のパソコンでソフトウェアを操作する方法を学ぶとともに、毎週雑誌がつくりあげられていくさまをリアルタイムで目にすることになった。段落がカットされ、記事が没になり、無数の変更が提案され、拒否され、強制される。また、一週間のリズムを体得することにもなった。月曜日はとても静かだが、そこから絶対的な締め切りが殺到する木曜日にかけて、ペースが加速していく。そして性交後の虚脱感にも似た金曜日がやって来る。

私の机からはエンパイア・ステート・ビルが見えた。ここは大学とはまったく違う。私はそう思った。大学は一種の遊び場であり、学生が自分の手で好きなものをこねあげることができた。だがここは、窓外のあの高層ビルのように偶像視されている不動の組織だ。私がそれをこねて形にするのではない。それが私をこねて形にするのだ。私は《ニューヨーカー》誌の有名なスタイルに自分をつくり直してもらうつもりでいた。

毎年恒例の「ニューヨーカー・フェスティバル」など、《ニューヨーカー》誌の公共イベントをプロデュースする小規模だが多少は魅力のある部門が、私の仕事場だった。上司は朝から、大きなボードに貼られた色とりどりの付箋を前に夢想していた。

編集者デヴィッド・レムニックとジェイZとの対談
ミハイル・バリシニコフのスタジオ訪問
世界的な探検家の座談会——登山家ラインホルト・メスナー、高地考古学者コンスタンサ・チェルティ、深海ダイバー（?）

これらのアイデアは、実現することもあれば実現しないこともあった。芸能人や著名人のスケジュールを押さえ、資材調達や移動の手配を行ない、一年のうち七二時間だけスーツを着てマンハッタン一帯の会場でお偉方を演じるのが、私の仕事だった。

たとえば、こんな具合だ。

「こんにちは、私が《ニューヨーカー》誌のパトリック・ブリングリーです」。大型高級セダンから身長一九三センチメートルの作家スティーヴン・キングが出てくると、私はそう挨拶して出迎える。「スティーヴン！　スティーヴン！」と叫びながらファンが周囲に殺到してくる。どうしようもない奴らだ。それに対して私は、あの《ニューヨーカー》誌のパトリック・ブリングリーだ。

やがて、若くしてピューリッツァー賞を受賞した作家マイケル・シェイボンもやって来る。「マイケル・シェイボンさん、スティーヴン・キングさんとは面識がありますか？」。私がそう尋ねると、面識はないと言うので、私がキングにシェイボンを紹介する。間もなくイベントが始まると、まずはシェイボンがマイクを持って登壇し、キングと私は舞台袖から見守った。シェイボンが自身の短編を読みあげると、ホラーの巨匠が椅子に座りながら頭を揺らし始める。「おお、すごい、うん。そう、うわっ、うん、うん。ふううう……」などと声をあげ、まるでコルトレーンを聞いているジャズ愛好家みたいだ。それは、どこか奇妙だが、光栄きわまりないすばらしい経験だった。自分はどちらの作家の本も読んでいなかったけれど。

自分で気づけばよかった。明るい光に少なからず目がくらんでいる、と。だが、そんな光のなかにいるときには（「いまどこで働いているって言った？　《ニューヨーカー》誌だって？」）、自分が光を放っているのではなく、光を浴びているだけだということをなかなか受け入れられない。もちろん就職した最初のころは、ワードのファイルを開き、《ニューヨーカー》誌風の機知に富んだ洗練された記事を書こうとした。だが、どう見てもそう見せかけているだけで、うまくは書けなかった。それでも、そこから教訓を学ぶのではなく、魔術的思考に閉じこもって保身を図った。

つまり都合よくこう考えたのだ。自分の周囲には才能豊かな人がたくさんおり、その多くと多少のつきあいがある！　私はいわば、中身のあるまじめな人間だと証明する名刺を持っているに等しい。それなら、このまま仕事を続けていけば、いずれはそういう人間になれるに違いない、と。

そこからある受け入れたくない矛盾を理解するまでに、三年近くかかった。これほど「華々しく」もない仕事についていたのであれば、無名ではあるが自分が思ったことを書きつづり、自分を刺激するどんな話題にも自由かつ大胆に取り組むことができただろう。だがトップレベルのこの職場では、私の思考は狭まり、私の野心は妙に縮こまってしまう。「一口メモ」のコーナーに一段落の書評を書こうとしても、自分のものではない口調を使い、自分が持ってもいない権威を誇示し、自分が実際に抱いているとは思えない意見を表明してしまう。

一方、オフィスでの仕事も、視野を狭めるばかりだったように思う。皮肉なことに、そこには美術館の警備員が味わえるようなものは何一つなかった。私は同僚たちと協力して、必ずしも一週間に四〇時間も働かなくていいシステムをつくりあげていたのだが、現代の職場の慣例に従い、職場にずっと座っていた。とはいえ、やはり慣例により、自分のデスクで本を読むことも、頭をすっきりさせる散歩に出かけることもできない。となると予想されるとおり、インターネットを周遊して何時間も無駄にし、本を読まないですむ方法を学ぶことになる。こうして私は泥沼に沈んでいき、やがて、かつてなったことがなかったものになった。怠け者である。

これは実際のところ、心に穴が開いたような失望感の裏返しだった。大学を卒業して「現実の世界」に入ったときに、自分が何を期待していたのかはいまもよくわからないが、この世界が現実のものとして感じられることを期待していたのだと思う。それなのに、騒がしいマンハッタンのミッドタウンを上から眺めながら、きらきら輝く高層ビルの一室に座ってどんな一流の仕事をしているのかと言えば、受信箱から送信箱へとメールを操る一種のコンピューターゲームばかりだった。

私はときどき、一息入れるためにたばこを吸った。地上に降りて歩道に立ち、つまらない仕事上の問題を忘れるための言い訳である。ハトが鳴き、世界が動いているが、私とは何の関係もない。たばこを吸っているこの数分間の私はまさに、幅広く深くなった川の湾曲部をただじっと眺めている、落ちこぼれのハックルベリー・フィンも同然だった。自分の意見になど、口で言うほどの関心もない。だから何も言わない。それがまともに思えた。

やがて私は吸い殻を足でもみ消し、自分の机に戻り、ハックルベリー・フィンの世界やその優雅さがわからない、あの現実の世界に再び合流する。私はそんな生活を四年近く続けた。だがそのうちにトムの病気が悪化し、今度はそちらの現実の世界へと追い込まれた。すると、もはや目を背けていることに耐えられなくなった。

＊

また押し出しを受け、持ち場を交代する。その日の三番目の持ち場（持ち場は全部で三つある）には、誰もが幼年時代から抱いているであろうイメージそのままの古代エジプトの姿がある。硬直したような石彫りのファラオ像、象形文字がはっきりと刻まれたすらりと伸びる円柱、浅い浮き彫りに優雅な横顔を見せている神々や司祭や王家の人々などだ。目の前には、新王国時代のファラオ、ハトシェプスト女王の有名な座像がある。紀元前一四七〇年ごろのものらしい。その両側には、同じ女王がひざまずき、アメン＝ラー神に捧げ物をしている巨大な像もある。この神は、ハトシェプストの天界における父なのだという。この部屋にあるほとんどの展示物は、この女王の埋葬殿から発掘されたものだ。

女王の老父の聖域でもあった、砂漠の崖のふもとに設けられたこの神聖な空間には、独自の聖なる時間が流れていた。それは、神々の時間、死者の時間、欠けるところのないもの、変わらないもの、完全なもの、永遠に続くものを支配する時間であり、「ジェト」と呼ばれる。ジェトは円環構造でも直線構造でもなく、絶えず変化する自然の作用からは一線を画している。それは、神殿や墓、私のまわりの芸術など、非自然的で厳かな場の時間であり、まるで永遠の静止に参加しているかのような時間である。

ところが少々こっけいなことに、この静謐な光景は騒々しい混乱の場でもある。この古代エジプトの展示エリアには、学童の集団が定期的に押し寄せる。

その日も、私が見ていると、襟のあるそろいのシャツにカーキ色のズボン、そして私と同じようにクリップ式のネクタイを身につけた特別認可学校の生徒数十人がやって来た。幼稚園から五年生ぐらいまでの年齢で、小さい子や大きい子、素直な子やいたずら好きな子、まじめに見入る子や逃げ出す子などが途方もない騒ぎを起こし、付き添いの先生がそれを上まわる大声で生徒を静めようとしている。私はいつでも動けるように身構えるが、なるべく注意はしたくない。だが子どもたちは、展示物に触れてはいけないことを知っているらしく、互いの背中を使って、課題の用紙にまじめに何かを書き込んでいる。

私はふと、ハトシェプストの座像を見上げ、この騒々しさのなかにあって、この女王の堂々たる無関心ぶりに深い感銘を受ける。『モナ・リザ』にも同じことが言えるという人がいるかもしれない。確かに、その絵に群がる人が増えれば増えるほど、その穏やかで超然とした姿がますます強く心を打つ。だがその効果は、この女王のほうがはるかに際立っている。なぜならこの像は、それを見る人間とは別の生命を持つものとしてつくられているからだ。

それは単なる芸術作品ではない。ハトシェプストをジェトの世界に住まわせるための装置なのだ。

私はもっと近づいて、王座に座る女王の姿を見る。彼女は女性だが、エジプトの大衆が見たであろうハトシェプストの一般的な姿は、そうとは言えない。政治的な彫像では、彼女は男らしい姿をしている。だがきわめて重要な魔術的目的を持つこの座像では、そんなごまかしはできなかった。毎朝、司祭が彼女の埋葬殿の扉を開けると、石灰岩の彫像が朝の光を浴びる。その瞬間に、彼女（永遠なるハトシェプスト）は父なる太陽と一体となり、アク（光を放つ存在）となる（厳密に言えば、アメン＝ラーは太陽を動かす力であり、観測される太陽現象を生み出す目に見えない創造的な力である）。

彼女はいまも、ハロゲンライトを浴びて光を放っている。エジプト人が太古の昔にこれほどきらびやかなものをつくったのは神学的な理由があったからだと考えると、畏敬の念を抱かずにはいられない。不完全なものは、ジェトの時間を分かち合うことができない。聖なる領域に到達させるためには、神々のように、申し分ないほど卓越したものでなければならない。そのため職人たちが技術的に適当なところで妥協したり手抜きをしたりすることは許されない。

エジプト人は、想像もできないほど美しく神秘的なもの、この世のものとは思えない不滅のものを確実に生み出そうと、惜しみなく労力を投じた。それから五〇〇〇年がたったいま、そこに群がる人々を見れば、彼らがそれに成功したことが容易に見て取れる。

　誰でも予想がつくように、子どもたちが本当に見たがっているのはミイラだ。だが、ここにある四体のミイラのうち、布に覆われていないものは一つもない。それを見ると子どもたちはがっかりするが、それでも紙つぶてのようにこんな質問を浴びせてくる。

「あのなかに死んだ人がいるの？」

「誰に殺されたの？」

「誰かに殺されたって誰が言ったの？」

「脳みそを取り出したってロビンス先生が言ってたよ」

「そうだけど、死んだあとだよ」

「におうの？」

「どうしてあんなふうに布でくるんであるの？　だからにおわないの？」

「あのなかはどうなってるの？」

　私は子どもたちに、あのなかは死んでからかなり時間がたっているので見た目がひどく、からからに干からびて縮んでおり、想像もできないほどおぞましい姿になっていると答える。そして振り返り、その遺体（ウクホテプという名前の人物だった）の肝臓や肺、腎臓を入れておいた壺のようなものを指差して言う。この遺体をミイラにした人々はこうして、その遺体をできるかぎり影像に似せようとした。信じられないかもしれないが、エジプト人には影像のほうが、遺体よりもリアルに思えた。彫像のほうが不変だから、と。もちろん、子どもたちにこんなことを言っても何の意味もない。子どもたちが、これを単なる気味の悪い見世物だとしか考えなかったとしても無理はない。一分もすると、子どもたちはその展示室から駆けだしていった。

あとに残った私は、ミイラになりたいという衝動の醜さに思いを馳せる。そんなことをして永遠が手に入るわけがない。こんな行為は、根本的な真実をあつかましくも弱々しく否定しているに過ぎない。肉体は滅びないわけにはいかない。人間の一部は不死だと信じたければ信じるがいい。だが、ほとんどの部分は死を免れない。どんな狂気の科学をもってしても、肉体の崩壊を防ぐことはできない。

＊

一二時間勤務の日には、最初の八時間は、三つの持ち場を三回ローテーションする（その合間に休憩がある）。その日の午後遅く、私はこのセクションの主任から、夜の配置について記した緑色の紙片を手渡された。それによると夜は、それまでとは別の三つの持ち場を二回ローテーションするらしい（その合間に短い休憩がある）。紙片には、（A）神殿、（B）神殿、（C）神殿とある。夕食休憩後はデンドゥール神殿の班に入るようだ。

私は腕時計を確認する。この時間になると、オフィス勤務の職員は荷物をまとめて帰宅する。だが、そう考えたところでふと思う。今日は土曜日だ。オフィス勤務の職員など最初から来ていない。実際、私が夕食休憩へと押し出されて職員食堂へ来てみると、セルフサービスのカウンターは閉まり、レンジは冷え、電子レンジの前に、カレーやパスタやシチューを温めようとする警備員や守衛の列ができている。

私は弁当をつかむと、空いたテーブルを選び、椅子を引き出して足を投げ出し、あとでうたた寝できるように急いでそれを食べる。食堂の反対側は、会話を楽しみながら一緒に夕食を食べている人たちでいっぱいだ。ぼうっとしたりうたた寝したりする人はこちら側ということになっているらしい。

やがて私は、夜のローテーションにそっと滑り込む。この表現がいちばんしっくり来る。心身ともに疲れているいま、この残りの時間は穏やかに流れるように過ごしたい。神殿の前にぼんやりと立ち、あちらにあるいはこちらにと目をさまよわせる。陽気な来館者がたまに、退屈していないかと私に尋ねてくる。おそらくそんなことを聞かれるのは、私が退屈しているように見えるからではなく、それがよくあるありきたりな質問だからに過ぎない。いえ、そうでもありませんと私が答えると、その人は「立派だね！」と言って去っていく。

だが実際のところ私は、そうは言わないが、退屈することを忘れてしまっていた。ストックホルム症候群なのかもしれないが、もはやカメのように歩みののろい警備の時間にすっかり身を委ねてしまっていた。私には時間を使うことができない。時間を埋めることも、時間をつぶすことも、時間を細かく分割することもできない。一時間か二時間なら我慢できないかもしれないが、これだけ長い時間になるとなぜか耐えられる。それは、ほとんどゴールラインを見ていないからだ。私はずいぶんと古風な、貴族的とも言える生活に慣れてしまっていた。そのなかでは時間が、王侯のように超然と空費される（ささやかな時給のために）。

デンドゥール神殿は、その背景にちょうどいい。それは、この美術館の驚異の一つだ。このみごとな建築物を構成する八〇〇トンの砂岩は一九七〇年代、ナイル川沿岸にあったこの神殿の敷地がダム建設により水没する前に、ニューヨークに移送された。メトロポリタン美術館はこれを収容するために、セントラルパークを見渡せる雄大なホールを建設したが、そのなかに復元された古代の建築物は、それに負けない威容を誇っている。

調和と節度を備えたこの神殿は、独立して立つ入場門と対になっており、それぞれが、タカの翼をいっぱいに広げた天空神ホルスや日輪で装飾されている。また外壁には、この神殿がナイル川に浮いているように見せるため、ハスの花やパピルスが彫刻されており、古代にはそれが鮮やかに彩色されていた。現代の来館者はその敷居をまたぎ越え、当時はほとんどの人間が入れなかった内部へ入り、イシス神の聖域をまのあたりにできる。そこはかつて、頭や体の毛を剃って死者を装うことで、多少なりとも永遠性を帯びた司祭だけしか入れない至聖所だった。だがいまでは、むさくるしい髪の男子大学生でも、ブレイズヘアにビーズをつけた女性でも、礼拝用の帽子をかぶった老婦人でもそのなかに入れる。

✪図8―メトロポリタン美術館の驚異の一つ、デンドゥール神殿。

私は神殿の側面に歩み寄り、浮き彫りの彫刻を仔細に眺める。そこに、上エジプトと下エジプトとの二重の王冠を戴いたファラオがいる（誰でも簡単に見つかる）。私はそのときふと、このファラオがほかとは違うことに来館者たちは気づくだろうかと考える。その相違点とは、ファラオの横顔でもなければ服装でもない。それらは従来の伝統に従っている。ほかと違うのは、カエサル・アウグストゥスというその名前だ。この人物は、ファラオの役割を演じてはいるが、誰も覚えていないほど古くからあるエジプト王国に、間もなく終止符を打つことになる征服者なのだ。第一千年紀が始まる直前に建設されたこのデンドゥール神殿は、この王国最後の作品なのである。

私は腕時計を見る。私たちの仕事ももうすぐ終止符を打つ。外はもう真っ暗になっているが、神殿はスポットライトを浴びて輝いている。八時半になると、間もなく閉館することを大声で告げまわる。八時四五分になると照明を切る。私たちはあちこちを素早く見てまわり、なかなか帰ろうとしない来館者に閉館を伝え、しつこく頼まれた場合には、最後に一、二枚だけ写真の撮影を認める。

「異常は？」。警備員が互いに声をかけ合う。「異常なし」。

すると私たちは、次の展示室にいる警備員と合流し、また次の展示室、さらに次の展示室へと移動しては、次第に数を増しながら、動きの遅い来館者を大ホールへと追い立てていく。そして最終的には美術館全体から、同じ紺色の制服を来た一団が、足取りの遅い来館者たちの後ろに集まる。こうして仕事は終わる。来館者がいなくなると、責任者が手を挙げて言う。

「お疲れ様！」

翌朝、私が派遣局に入っていくと、ボブからまたエジプトの展示エリアを割り当てられた。

5……異国の地

やがて前の日が次の日と、前の週が次の週と混じり合っていく。

この仕事を始めて六カ月ほどが過ぎたある晩、うれしいことにアスター・コートに配置された。アスター・コートは、明時代の中国の学者の庭園を再現したもので、中国の伝統的な楽器による演奏もある。演奏の前、演者が楽器の調弦をしている間、私は庭園のなかの、「静けさを求めて」という意味の言葉が書かれた月の門と、「優雅な安らぎ」という意味の言葉が書かれた太陽の門とを見つめる。あるいは、石灰岩の岩や、魚が泳ぐ小さな池に目を向ける。それらが一緒になって、中国語で「風景」を意味する「山水」を形づくっている。私はまるで、「優雅な安らぎ」をすでにすべて理解しているかのような安らぎを覚え、多少自分に満足しているような気分にさえなる。

間もなく演奏が始まる。私は古琴を演奏する女性の後ろに立っている。古琴とは、ハープを横にしたような楽器だ。一〇本の指に八個の爪をはめた女性が、その爪を風のように揺らしたり、楽しげに跳躍させたり、クモのように素早く走らせたりする。そして、私にはつかみきれないリズムに従い、私の耳が期待する音の高さとは少し上か下にずれているような音を使い、これまでに聞いたことのない旋律を生み出す。

私は期待を放棄し、いま繰り広げられていることをただひたすら受け入れるときに生まれるあの経験を味わっているのだ、という感覚に身を委ねる。やがて女性が手を止め、演奏を終える。わずか一〇分ほどしか経過していないのに、その時間がとても充実していたように思える。まるで絵画を描く何千もの筆の動きが、一瞬ごとに空中を舞い踊っていたかのようだ。私はこれから世界を探索する新生児のような、謙虚な気分になった。

私は、演者の女性が楽器を片づけ、ケースをかちりと閉じる姿を見守ると、その周囲にある中国絵画の展示室に目を向ける。期待を放棄すればどんな新たな発見ができるのか、それを知りたくてうずうずしていたからだ。視覚芸術は、見る者がその表面にいくらでも筆を入れられ、いつまでも終わりがない。そういう意味で、視覚芸術はとんでもなく寛容だ。

翌日、私は再びこのセクションFに配置され、一〇〇〇年前の北宋の画家、郭熙《かくき》が描いた巻物にたまたま目を留めた。力強く、広がりがあり、非の打ちどころのない『樹色平遠図』という絵だ。巻物としては控えめなサイズで、もともとの大きさは、私が両腕を横に広げたほどの長さもない。だがそれから数世紀にわたり、この巻物を所有していた学者たちがそこへ、「奥書」と呼ばれるその作品への賛辞を添えた。その結果、縦三五センチメートル余りの巻物の長さはいまや、九メートル近くにまで伸びている。

最初に私の興味を引いたのは、その奥書だった。漆黒の墨を浸した筆で、漢字が縦書きで延々と記されている。これまでも中国語の文章を読んだ経験はない。何が書いてあるかわからないからだ。だがいまは、それが利点になる。言語学的な意味を読み取ろうとするために漢字が持つ視覚的な華やかさを見失ってしまうことなく、変化に富んだ華麗な図案として漢字を見ることができる。そこには、力の抜けた、弱々しく曲がりくねった筆致もあれば、荒々しく、素早く突き刺すような筆致もあり、その両極の間にあるあらゆるパターンがそこかしこに見られる。一つの文字からまた別の文字へと目を移していくと、それぞれの文字が少しずつ異なる印象をもたらしてくれる。あまりにとらえがたく、きわめて視覚的であるがために、それを言葉で表現することはできない。そんなとき私はふと、多くの感覚的経験が、言葉と言葉の間の隙間に落ちて失われてしまっていることに気づく。これを書いた人が持つ書の技量と品格は、芸術を生み出そうとするもっとも根源的な衝動をみごとに表現している。黒い印でまっさらな表面に変化を起こしたいという衝動である。

私はこうしてかなりの距離を歩き、数分後にようやく巻物の右端にたどり着く。そこに郭熙の絵がある。絹布に墨で描くとなると、間違いは許されない。やり直しはきかない。油絵

◇図9—郭熙『樹色平遠図』に寄せて。

の巨匠がしていたように、ミスした部分をこすり取ることも、ミスした部分の上に重ね描きすることもできない。そのため、西暦一〇八〇年に郭熙が実践したあらゆる筆使いを目で追える。その技量のすべてがそこにあり、隠されているもの、いま見える表面の奥に潜んでいるものなど何もない。

郭熙の息子の言葉によると、この画家は、数時間瞑想をしたのちに手を洗い、まるで腕のわずか一振りで描くように絵を描いたという。私がもっと前の時代にこの巻物を見ていたとしたら、それを手に取り、ゆっくりと開きながら視線を注ぎ、郭熙が描いた広々とした風景のなかをのんびりと散策したことだろう。だが、それを実際に手に取る必要はない。この絵は、一〇〇〇年前から見る者に与えてきたものを、いまも与えてくれる。私の目は、かつてその絵を見た人と同じ道筋をたどり、静かに浮かぶ小舟の漁師、秋になって葉を落とした木々、行商人やその荷を運ぶラバ、露出した岩、身を屈めて山を登っていく老人を見ながら、霧に包まれた山の奥へと入っていく。その美しさは筆舌に尽くしがたい。

郭熙はある文章のなかでこう述べている。風景画を見れば、「馬勒や足かせで束縛された日常生活」から「飛翔するツルや咆哮するサルにいつでも親しめる」場所へ逃れることができる、と。だが私は、そんな自然に連れていってもらったように感じられなくてもいい。この絵のなかにいるだけで幸せだ。そこでは、自然と画家の心境とがきれいに融合している。サルやツルよりも、郭熙自身が自分の親友のような気がしてくる。

この巻物をいくら見ても見尽くすことはできない。いくら分析しても分析し尽くすことはできない。私はさらに深い静けさのなかに足を踏み入れ、その絵が提示する充足した世界に没入する。

*

やがて私は、芸術作品への接し方を確立した。まずは、作品が持つ唯一無二の要素、教科書の執筆者が注目したがる「重要な要素」をすぐに探そうとする誘惑に打ち克つ。こうして顕著な特徴を探すのは、芸術作品を構成するもっと重要な要素を無視するに等しい。フランシスコ・デ・ゴヤの肖像画が美しいのは、ゴヤ特有の天才的な筆使いのためでもあるが、色や形が美しく、顔がきれいで、巻き髪がこぼれ落ちているからでもある。つまり、多様で魅力的なこの世界のさまざまな属性が採用され、それが称賛に値する一つの作品にまとめあげられている。

したがって、芸術作品に出会ったときにはまず、何もしてはいけない。ただ見るだけにして、自分の目に、そこにあるすべてを吸収する機会を与える。「これはすばらしい」とか「これはよくない」とか「これはバロック時代の絵で、XやY、Zを意味している」などと考えてはいけない。理想を言えば、最初の一分間は何も考えるべきではない。芸術には、私たちに作用を及ぼすための時間が必要なのだ。

私はセクションB（古の巨匠）がメインの担当なので、セクションI（一九世紀絵画）の警備を言いわたされると、いつも意外な感じがする。というのも、少なくとも私の頭のなかでは、ラファエロやティツィアーノ、レンブラントの展示エリアと、モネやドガ、ファン・ゴッホの展示エリアとは良きライバル関係にあるからだ。

私がセクションBにいると、最低でも一日に一回は、イエスの絵画を非難めいた厳しい表情で見ていた来館者が近づいてきて、「スイレンとかヒマワリとか、印象派の作品は？」というようなことを言われる。そのため、市街地で言えば数区画分も離れているこの建物のいちばん端までの、遠く曲がりくねった道のりを教えてあげなければならない。私は何も、こうした来館者の趣味を嫌っているわけではない。だが結果的に見れば、彼らの愛する印象派画家（特にクロード・モネ）に対して、必ずしもあまり公平ではなかった。モネの絵はきれいだが、それだけだと思っていたからだ。だが私はふと、芸術に接する第一のステップを思い出し、モネの絵にもチャンスをあげることにした。

ある金曜日の夜、私はスイレンや積みわらを描いた作品が展示されているエリアを担当することになった。美術館で一日を締めくくろうとしている熱心な絵画ファンが数名いる。積みわらの絵はいくつもあるが、これはモネがさまざまな季節、一日のさまざまな時間帯に描いた連作の一部である。この時間になるとあくびが出る私には、この連作の価値がよくわかる。ずっと屋内にいても、この時間になるとあらゆるものがくつろいだ雰囲気を見せる。絵画までが、就寝の準備をしているように思える。この人気あるセクションではいつものように、今日も「そんなに近づかないでください！」とか「フラッシュは禁止です！」と大声をあげる忙しい一日だった。だが、いま残っている来館者数名は、穏やかにあたりをうろついているだけだ。そんなときに私は、モネの絵に対峙し、それが私に何らかの作用をもたらすのか試してみた。

ある対象がおもしろいかどうかを知りたければ、それで笑えるかどうかを見てみればいい。ある絵が美しいかどうかを知りたければ、その絵がそれに相当する反応を引き起こすかどうかを見てみればいい。笑いと同じくらいはっきりしてはいるが、一般的には笑いよりもおとなしく、遠慮深い反応である。

私は『夏のヴェトゥイユ』という風景画に歩み寄り、その絵が私の視界を覆い尽くすぐらいまで近づく。すると、その架空の世界を現実として受け入れられることに気づく。そこには村があり、川があり、川の水面に揺れる村の風景の反射がある。ただしモネの世界には、実際のところ太陽光のようなものはない。あるのは色だけだ。モネは、自分の小さな宇宙の優れた創造主のように、太陽光の色をちりばめた。熟練の技でそれをばらまき、まき散らし、キャンバスに貼りつけた。そのため私は、その絶え間ない揺らぎに見切りをつけることができない。長い間その絵を見ていると、その絵はますます豊かになっていくばかりで、終わりがない。

私はそのとき気づいた。モネは、この世界のなかの、視覚では飼いならせない側面を描いたのだ、と。エマーソンがこの世界の「ひらめきやきらめき」と呼んだもの、この絵の場合で言えば、波間に揺れては溶ける何百万ものまだら模様の反射である。それは、もっと古い時代の巨匠たちが自分の象徴的体系のなかにあてはめることができなかった類いの美、あるいは、現代の整理整頓された知性が一般的に見せる美よりも雑然とした、あかあかと輝く美である。私たちは普通、有益な情報を探しまわり、それをかき消してしまうおそれのある無数の無関係な刺激を弱めるか無視してしまう。だがモネの絵は、私たちがとらえるあらゆる粒子（風、鳥のさえずり、子どもがしゃべる無意味な言葉）が重要な意味を持つ、あのまれな瞬間を思い出させてくれる。モネの絵を見れば、その瞬間の完全性はおろか、神聖性さえ感じ取れる。

そんなことを感じたとき、私はかすかだがはっきりと、胸の震えを感じた。それは、モネに絵筆を取らせたのと同じ感覚だったのではないかと思う。モネはこの絵を通じて、自分の感覚の震えを私に伝えてくれたのだ。

＊

それからしばらくのちに、私は勇気を奮い起こし、規定外の日にも勤務を申し込んでみることにした（警備員たちは、規定外の日の賃金が二倍《ダブル》になることにちなみ、それを「ダブルデー」

と呼んでいた）。それまでの私は、足に過大な負担をかけるのではないかと心配していた。さらに八時間も私の体重に耐えられそうにない、と。立ち仕事は肉体労働としては楽だが、それが重なれば、身体は正直に反応する。その状況に変わりはない。

だがそのころになると、この身体の反応を無視するのがうまくなっていた。そこで私は、規定外勤務が可能な日を書く専用のノートに自分の名前を書き込んだ。すると早速、月曜日に仕事を頼まれた。

メトロポリタン美術館は月曜日が休館日である。来館者が来ない月曜日には、美術館のスタッフがむさ苦しいオフィスから姿を現す。この美術館には、二〇〇〇人以上の従業員がいる。月曜日には、その多くが水を得た魚のように見える。

学芸員たちはさまざまな展示室の中央に立ち、どの展示物をどこへ移すべきか話し合っている。技師たちは来館者にぶつかる心配もなく、芸術作品を積んだ台車をあちこちへ運んでいる。装備員たちは何時間もかけて、ロープや滑車を使って彫像をどう持ち上げるべきかを検討し、管理員たちは装備員の技能を信頼し、何の心配もなさそうにその様子を見守っている。そこかしこで、電気技師や空調設備の担当者、塗装工（画家と同じ「ペインター」だが、こちらは細筆ではなくローラーを使う）が動かしているシザーリフトから、ビーッ、ビーッ、ビーッという警告音が聞こえる。なかには従業員の特権を利用して、休日なのに一人か二人知り合いを連れてやって来る者もいる。そのような場合、学芸員は大口の支援者や重要人物を案内することが多いが、警備員や守衛は父親や母親を連れて館内を一まわりしている。この見るからに巨大な組織が生き生きと躍動している姿を見るのは、なかなか楽しい。メトロポリタン美術館のコレクションは二〇〇万点以上に及ぶ。これは、利用可能な展示スペースのおよそ一平方フィート(訳注：およそ三〇センチメートル四方)につき一点の割合に相当する。したがって、展示されているのはほんの一部でしかない。

この美術館には、おおよそ独立した一七の学芸部があり、それぞれが独自の制約のなかで最大限の努力をしている[★2]。アメリカ美術、エジプト美術、古代ギリシャ・ローマ美術を担当する学芸部は、人目に触れる場所に保管エリアがあり、保管しておく作品でもガラスケースに詰め込んでおけば、いつでも来館者に見せることができる。だが、ほかの学芸部はそれほど幸運に恵まれてはいない。たとえば、学芸部の一つである服飾研究所は、その限られたスペースで年二回の展示会を開催している。特定のデザイナーやテーマに基づいた衣類やファッションアイテムの展示は、いつも人気を博している。また、スケッチや版画を担当する学芸部には、利用できるスペースが一通路分しかない(ただし、その通路はきわめて長い)。そのため絶えず作品を入れ替えている。光に弱い作品の場合は特にそうだ。

一方、近代・現代美術を担当する学芸部には、大規模な芸術作品が多く、それを収容しなければならないという課題がある。ジャクソン・ポロックの作品並みのキャンバスや、インスタレーションアートの構成要素となると、収容できる数に限りがある。さらに現代美術の学芸員には、たとえば古代近東美術の学芸員よりも、時代の流れを追いかける責任がつきまとう。何はともあれ、メトロポリタン美術館ではこれらすべての学芸部が協力して、毎年三〇もの特別展が開催されている。そのなかには、世界中の美術館から作品を借りて行なう大規模な展覧会もあれば、展示室を一つか二つ占めるだけのつつましやかな展覧会もあるが、新たに見るべきものが常にどこかにある。

月曜日の朝、私が持ち場についていると、一五人ほどの新人警備員の集団が、保安責任者に引率されてやって来た。みな私服であり、警備員研修の初日なのだろう。保安部隊には、四〜六カ月ごとに新人を注ぎ込む必要がある。それは、離職率がきわめて高いからではなく（ベテラン警備員のなかで定年前に辞職する人は珍しい）、当美術館で最大の規模を誇るこの部署には、およそ六〇〇人もの人員がいるからだ。

保安責任者のクルス氏は、自身もかつては警備員だった人物だ。その後主任に昇進し、そのまま派遣局へ横滑りとなり、いまや二階にオフィスを構え、重大な決定を下す責任を担っている（はずだ）。今週は新たな警備員を相手に、保安規約や緊急時対応、火災時の安全確保、法的な権利や権限、および当美術館の歴史やそのコレクションについて指導するのだろう（彼自身、かつては美術学校に通っていた）。

★2……ここで述べているメトロポリタン美術館の運営に関するほかの事項についても言えることだが、学芸部の数は、私が在職していた当時とは変わっており、本書が読まれるころにはまた変わっているかもしれない。

間もなく同僚になるこの集団のなかには、美術館の地図をまじまじと眺めている姿から判断して、初めてメトロポリタン美術館の展示室をまわっているのだろうと思われる者もいる。美術館の警備員になるのに、美術や警備の素養は必要ない。ただ求職情報を見つけ、説明会に出席し、どの項目についてもきちんとした履歴書を書き、面接で良識を示しさえすればいい。友人や親戚に警備員がいたとしても特別有利になることはないが、警備員の募集を知るきっかけになることはよくある。

数十年前、ニューヨークに形成されているアルバニア人やガイアナ人、ロシア人のコミュニティに暮らす数名が、お金になるこの仕事を見つけると、それ以後、そのネットワークを通じてこの仕事の噂が広まった。安定した仕事だ。労働組合もある。基本給は低いが、規定外勤務をすれば生活費の足しになる。手当もいい、などなど。仕事そのものはどうかと聞かれたら、私なら人それぞれだと言うだろう。我慢できないほどではないという警備員もいれば、刺激的だという警備員もいる。

数分後、新人警備員の集団が去ると、私はアフリカ美術の展示エリアに一人取り残される。ほかには誰もいない（月曜日には、持ち場と持ち場との間隔がふだんより広くとられる）。この展示エリアを探検する絶好の機会だ。私は早速、ナイジェリアのベニンで制作された有名な逸品に近づく。ミケランジェロがシスティナ礼拝堂の天井画を描き、ミナール・スィナンがイスタンブールの華麗なモスクを建設していたころ、ベニンの芸術家たちは、象牙や真鍮の作品を制作していた。ミケランジェロやスィナン同様、数世紀にわたりその地域で最高傑作と謳われることになる作品群である。当時、すでに七〇〇年の歴史を誇っていたベニンには、国王の保護を受けた六八のギルドがあり、そのなかで、陶器職人、織物職人、建築師、真鍮鋳物師、象牙彫刻師、ゾウの猟師などが活躍していた。

遠くからでも、ベニン王国の皇太后イディアの力強い特徴が見て取れる。その顔が、象牙の薄片でつくられた仮面に彫刻されている。イディアは軍隊を招集して、息子のエシギエに王位を継承させ、その後さらにまた軍隊を招集して、王国の版図を北へ拡大した。その不屈の表情を表現した仮面は、特殊なタイプの工芸品だ。力強い第一印象を与えるだけでなく、その後も見るたびに力を増し、やがては聖像に見えてくる。メトロポリタン美術館には王や女王が無数にいるが、この仮面ほど、王者の力や威厳を印象づけるものはないかもしれない。

私はしばらくイディアの前にたたずみながら、この仮面もいずれはここで保管されなくなるのではないかと考える。いつの日か、喜ぶべきことに、ゴム手袋をはめた技師がその仮面を台座から外し、「関係者以外立入禁止」と書かれた地下室に運んでいく。そこは保管庫ではない。記録局のそばにある、担当者が特注の木箱に作品を梱包して搬出するための作業場だ。要するに私は、このイディアがいずれ、ベニンシティに建設が予定されている新たな美術館に送られるのではないかと予想している。

一八九七年、イギリス軍がその街を略奪した。その際、卑劣な取引の末に、このイディアがメトロポリタン美術館のコレクションに加えられたのだ。私は一警備員でしかなく、芸術作品の本国送還の問題に関する具体的な専門知識は持ち合わせていないが、これだけは言える。手放すべき確固たる理由がある工芸品をいつまでも手放さず、刑務所の看守のような気分を味わうことなど、誰も望んではいない。だがそれまでの間、少なくともこの仮面は、グローバルな都市の公共コレクションとして扱われる。

西アフリカと聞くと、私の頭にはまず、ナイジェリアやガーナ、トーゴ、ブルキナファソ、カメルーン出身の警備員が思い浮かぶ。

この展示室では、すぐ後ろを振り返るだけで、一六〇〇キロメートル以上離れた中央アフリカへと旅ができる。そこには、呪術に使われた木彫りの彫像が数多く展示されている。私は、この美術館全体のなかでもっとも驚異的な彫像は、そのなかの一つなのではないかと思っている。ただし、すぐにそうとは気づかなかった。芸術作品をたくさん見るうちに、そのなかには、長い間見ているとそれに応えて何かを返してくれるものと、さほど返してくれないものがあることに気づくようになったが、どの作品がどちらなのか、最初はわからない場合が多い。そのため私は以前から、ある作品がほかの作品に比べて際立っていると思うたびに、そんな自分を疑ってかかった。学芸員がそれを高い台の上に置いていなかったとしても、私はそう思っただろうか？　そんなことを考えながら、一人で長い間その作品をじっと見つめる。その行為だけが、どの作品が本物なのかを私に教えてくれる。

◇図10─現在のコンゴ民主共和国に暮らしているソンゲ族が制作した彫像「ンキシ」。呪術に使われたという。

呪術に使われたこれらの彫像は、ンキシと呼ばれる。現在のコンゴ民主共和国に暮らしているソンゲ族がつくったものだ。制作年代は一九七〇年以前だとしか言えず、おおまかな年代さえ推測の域を出ない。大きさは九〇センチメートルほどで、小柄な男性のように見えるが、そうではない。ンキシはこの世のものではない。妊娠しているかのようにふくらんだ腹、油を塗られてつるつるしている腕や胸、毛皮や羽毛を使った頭飾り、盾のような凸面の顔、コイルばねのような首にバランスよく乗った大きな頭を備えている。

その制作には多くの人手がかかっている。まずは村の長老が、彫像の制作を依頼する。すると村人が、その制作に使う木を入念に選んで伐採する。その木材を、彫刻師の親方がンキシの形に彫りあげ、ンガンガと呼ばれる呪医が、ビシンバと呼ばれる薬物や呪物をそれに詰め込む。こうして完成すると、そのとたん、この像は莫大な力を有する存在となり、人間の手ではつかむことさえできなくなる。そのため、その像の手首にラフィアヤシの繊維で結びつけた長い棒を使って動かし、村人が総出で聖なるすみかまで連れていき、その後も絶えず村人の誰かがこの像に付き添う。すると精霊が、その人の夢のなかに現れたりその人に憑依したりして、村にとって重要なメッセージや警告を授けてくれるのだという。

いまンキシを見ていると、そんな言い伝えを目で確認できることに感動さえ覚える。ラフィアヤシの繊維は、いまもその手首に結びつけられている。口のまわりにはビシンバがべたべたついている（ビシンバは、彫像の体内の穴にも収められている）。また、ヤシ油や動物の血を塗られて、像全体が濡れているように見える。だが何よりも特筆すべきは、彫刻師がンキシを超自然的存在に仕立てようとしてつくりあげた並外れた形状だろう。私が想像するに、この彫刻師は、どんな形にしようかと途方もない難題に直面したに違いない。郭煕の巻物やモネの絵画とは違い、この彫像は何かを模倣したものでも描写したものでもない。聖なる存在らしく見えるよう意図されたものでもなく、聖なる存在そのものなのだ。したがって、尋常の人間の営みから懸け離れた存在であるかのように見えなければならない。あるいは新生児のように見えなければならない。何かの模倣や描写ではなく、自己を主張する新奇で超自然的な完全体である。

力のみなぎったこの彫像を眺めていると、彫刻師がそれにみごと成功していることに驚くばかりだ。偉大な芸術が奇跡的に生み出され、新たな美がまた一つ、この世界の保管庫に追加された。私は目を奪われるどころか、感動さえ覚える。軽く目を閉じているンキシは、力強い精神性を備えており、まるで自分に迫り来る危険な力に立ち向かう意思を呼び覚ましているかのようだ。暴力、不運、病気など、絶えずつきまとう日常的な苦難からソンゲ族を守るためにつくられたこの像は、それらの苦難との闘いに勝利できなかったかもしれない。だがそれを試みたその行為には、強く胸を打たれる。それは、多大な苦難のなかで制作された。その苦難を跳ね返すには、これほど崇高なものでなければならなかったのだ。

6……生身の人間

私がここで働き始めて最初に大成功を収めた特別展が『メトロポリタン美術館収蔵ピカソ展』だ。これは記録に名を残すほどの大ヒットとなり、入場者数が一万人を超える日もたびたびあった。この特別展では、一〇代のころの一九〇〇年に描いた自画像に始まり、八七歳のときにわずか二七〇日間で仕上げた三四七点もの連作の一部に至るまでの作品を、一〇を超えるエリアに展示していた。メトロポリタン美術館が、ピカソの作品（絵画や陶器、彫刻、スケッチ、版画）を数百点も所有しており、常時そのごく一部しか展示していないことなど、誰が知っていただろう？ この特別展を通じてそれを知った人がほとんどだったに違いない。

私の同僚たちの大半は、「ショー」（いわゆる特別展）を担当するのを嫌う。「度を越えたサーカス」だとある警備員は不満をもらす。ショーの警備を担当するとなると、乱暴に押しのける人や不平を言う人が無限に現れ、それに対処しなければならない。ふだんはゆったりとしたセクションBを担当している警備員にとっては、悪夢のような場面である。ただし、私だけは例外だ。私は、ショーには夢見るような魅力があると思っている。その展示室にはエネルギーがある。期待以上のものに出くわす場面もあれば、期待がくじかれる場面もある。「青の時代だ！」と叫ぶようにささやく人がいる。だから私は、このショーに自分をなるべく多く配置してもらおうと、そのセクションの主任に頼み込んだ。誰の要望にも応えようとする主任がその頼みを聞き入れてくれた結果、私は四カ月に及ぶ特別展の期間中、ピカソの幅広い想像力のなかで優に二〇〇時間を過ごすことになった。

ある日曜日、私は『役者』という絵の前に配置された。縦が二メートル近くある、つい先ごろ話題になったばかりの「バラの時代」の作品である。数カ月前、来館者がよろけて不運にもその絵にぶつかり（誰が悪かったわけでもない）、右下の隅に、縦に一五センチメートルほどの裂け目ができた。いまではその傷も修復され、絵はガラスに覆われている。だが、少しでも体を寄せてそのわずかな傷跡を見つけようとしている来館者を見ると、顔をしかめずにはいられない。

もちろん、ピカソの絵を見ようと押し合いへし合いする来館者が展示室に殺到することを想定して、来館者を作品から隔てる、堀のような狭い隙間を設けてはいる。それなのに私は間もなく、展示室の反対側で、軽率にもその隙間を侵害している男性を一人見つけた。私は手を振って相手の注意を引き、安全を考慮して一歩下がるよう促す動作をするが、男性はどうやらその意味がわからないらしい。やがて男性は身を起こすと、私の話を聞こうとこちらにやって来たのだが（その点に問題はない）、こともあろうにその最短ルートとして、私がそこから出るよう促したあの隙間を選択した。そんな問題に気づくこともなく、男性は私のほうへどしどし歩いてくる。すると間もなく、ピカソの『白い服の女』という絵の額縁に、男性の肩がぶつかった。

天井のすぐ下に固定された銅線に吊り下げられていた絵が一度、二度、三度と揺れた。この恐るべき振り子がようやく静止したとき、私は、自分が大地震を目撃したかのような、現実そのものが一時的に安定を失ったかのような感覚を覚えた。「何やってるんだ！」と誰かが叫ぶ。群衆が本能的にその男性から身を引き、男性は両手を上に挙げる。私に逮捕されるのではないかと思ったのだろう。私はすぐにこのセクションの主任を呼んだ。結果的に絵は無傷であり、何ら危険はなかったことが確認されたのだが、実際のところはどうなのだろう？　揺れているピカソの作品を見たばかりなのに、何も問題がなかったとはなかなか思えない。

＊

それから数週間後、またしても衝撃を受ける事件があった。

私が朝、その日の配置が決まるまでの間《ニューヨーク・タイムズ》紙を見ていると、パリで美術品の盗難事件があったという記事が目に飛び込んできた。ピカソ、マティス、ブラック、レジェ、モディリアーニの作品がそれぞれ一点ずつ盗まれたのだ。単独の窃盗犯が夜間に窓を壊し（実際には七晩続けてやって来て窓に入念な細工を施していたことを、警察はいずれ知ることになる）、一億ドル相当の近代美術作品を抱えてパリ一六区に姿を消したという。この事件のおかげで、まるで知っておけと言わんばかりに気づかされたのだが、美術館というものは見かけほど安全ではないらしい。美術館は施錠された金庫ではない。一般市民のためにつくられている。そうであるかぎり、一般市民がもたらすあらゆる問題や計略がつきものなのだ。

私はある日の午後、古代ギリシャ・ローマ美術の展示エリアに配置された。そのとき、ベテランの老警備員であるホワイトホール氏が、何の変哲もない大理石製のギリシャの頭像のようなものを指差して言う。「これが誰かわかる？」

私は知らなかった。

「ヘルメスだよ。これがグランド・セントラル駅のロッカーに入っていたというのは知ってる？」

それも私は知らなかった。

「そう、じゃあ教えてあげるよ。私がここで働き始めてまだ間もないころ、一九七九年だったかな。聞くところによると、その日もふだんと変わらない日だったらしい。ただ、市内でツタンカーメン展が開催されていた。私たちが経験したなかでは最大のショーだよ。調べてみればわかる。だが、それがこの事件に関係していたのかどうかはわからない。おれにわかるのは、ギリシャ美術の展示エリアを担当していたある不運な警備員が振り返ってみると、それまで台座の上に確かにあったものがなくなっていたということだけだ。そして、それから数日が過ぎた二月一四日、バレンタインデーの日に、警察に情報が届いた。このヘルメス（ちなみにヘルメスは盗人の守護神なんだそうだ）を探しているのなら、グランド・セントラル駅のロッカー番号何番を見てみるといい、とな。そこでサイレンを鳴らしながら駅に急行し、古びたバールを取り出し、ロッカーをこじ開けてみると、言われたとおり、このうつろな二つの眼窩と目が合ったというわけさ」

私たちは二人でその頭像を見る。

「だが、奇妙なのはそこじゃないんだ。ここを見てみな。左目の少し上のところ……ここには以前から、大理石に小さなハートマークが刻まれていた。誰が何のためにそうしたのかもわからないし、偶然なのかどうかもわからない。とにかくそれは以前からあった。おそらくは何世紀も前からな。ところが」。そこでホワイトホール氏は不必要に声をひそめた。「ヘルメスが無事にここへ戻ってきたとき、右目の上にも第二のハートマークが刻まれていた。そろいのハートだよ。左目とそろいのハートが、右目にも新たに刻まれていたんだ！ 本当だ

よ、ブリングリーさん。調べてみるといい」(あとで確かめてみたところ、本当だった)

私は、第二のハートがどんな経緯でそこに刻まれたのかと尋ねてみた。

「私が推測するに、こんな感じだったんじゃないかな。ある男が、デートで彼女をメトロポリタン美術館に連れてきた。そのとき彼女がこのヘルメスを見かけ、そのハートを見つけて『かわいい!』とか何とか言ったんだろう。男はその言葉を覚えていた。やがてバレンタインの日が近づいてきたが、男には彼女にあげるプレゼントがない。そこで男は、小さなハートが刻まれたあの彫像のことを思い出し、美術館に舞い戻ってそれをくすねた。それどころか、その男は本物のバカだったものだから、そこへさらにそろいのハートを刻んでプレゼント用の箱に収めた。そしてバレンタインデー当日、かわいらしいリボンを解き、プレゼントの箱を開けた彼女は、男をバカだとさんざんののしった。おそらくそいつはいまでもそんなバカなんだろうな。その一時間後、少なくとも二時間後に、警察に匿名の情報が届いた、というところかな」

私はその話を聞いた次の休憩の際に、この美術館の研究図書室に向かい、「メトロポリタン美術館」「窃盗」「盗難」「警備員」といった単語を旧式の新聞データベースに打ち込んでみた。芸術作品の盗難事件ほど、血を凍りつかせるとともに血を沸かせるものはない。私自身、これまでに少なくとも五回は、映画『トーマス・クラウン・アフェアー』について尋ねられたことがある。警備員が電流警棒を振るう架空のメトロポリタン美術館を舞台にした、美術品窃盗にまつわる映画である（その質問には常に「答えられません」と答えていた）。調べてみると、現実の世界ではそんな映画のような派手な事件はここでは起きていなかったが、それでも事件と言えるものはたくさんあり、それがこの壮大な施設のもう一つの汚れた歴史をつくりあげていた。

私が確認できた最初の盗難事件は一八八七年のものだ。ケースが金てこでこじ開けられ、そのなかから古代キプロスの黄金のブレスレットが奪われていたと、警備員が「衝撃的な発見」をしている。キプロス美術は、まだ開館間もないこの美術館で唯一本当に価値のあるコレクションだったらしく、この事件はかなりの論争を引き起こしたようだ。

ちなみに、私が見つけたメトロポリタン美術館最古の警備員は、ディクソン・D・アレイという人物で、この美術館の最初の館長ルイジ・パルマ・ディ・チェスノーラ将軍の不正を訴えたニュース記事に登場する（サルディーニャ王国で生まれたこの館長は、アメリカの南北戦争に北軍の将校として参加し、のちにはキプロスのアメリカ総領事になるという波乱の人生を送っている）。

アレイ氏の話によれば、一八八〇年にメトロポリタン美術館が現在地に引っ越した際に、古代キプロスの陶器を箱から出して洗浄する仕事を任された（私がそのような仕事を頼まれたことは一切ない）。だがその過程で、一部の陶器が偽造されたものかすげ替えられたものであるらしいことが判明した。驚いたことに、その着色をした絵の具が新しいうえに水溶性で、洗浄した際に流れ落ちてしまったからだ。

さらにアレイ氏はその後、古代のテラコッタ製の頭のない小像を手渡され、さまざまな像の断片が乱雑に放り込まれた箱から、その小像の頭部を見つける仕事を任された。やがて、その箱のなかからいちばん合いそうな頭部を見つけたが、それは胴側の部分に比べると、首の幅が三ミリメートルほど細かった。だがチェスノーラ将軍はそれを気にすることもなく、頭部の首に合わせるため、胴側の首を削るよう命じたという。アレイ氏はその後、この「修復」作業に関するインタビューにあまりに率直に答えたため、解雇されてしまった。

私が次に見つけた記事は一九一〇年のものだ。その年、ある男（窃盗犯）がエジプトの小像を持ってバワリー通りの質屋に現れた。《ニューヨーク・タイムズ》紙の記事によると、男はこう言ったという。「ちょっとした真鍮製の像があるんだけど、これをかたにお金を工面してくれないか。これにいくらの価値があるかは知らない。おばのものだったからね」。おばは「こういうものの目利きでね。おばが買ってくるものはいつだって本物だった」と。質屋の主人は、二五〇〇年前の遺物をしげしげと眺めると、「こういう細工のせいで真鍮の価値が下がってしまうこともあるんだがね」などとぶつぶつ言いながら、男に五〇セントを手渡した（刑事の話によると、「ウイスキー五杯分かビール一〇杯分」ほどの額らしい）。窃盗犯はその質札も誰かに売り、さらに一〇セントを手に入れた。やがて、すでに監視を強化していた警察が、質屋の定期巡回の際にその小像を発見した。現在、その女神ネイト（その名前は

「恐怖に陥れる者」を意味する）は以前同様、エジプト美術の展示エリアに配置されている。

一九二七年には、一七世紀の細密画が五枚盗まれる強盗事件があったが、これは間違いなく内部の者の犯行である。というのは、侵入者が合鍵を使っていたからだ。一九四四年には、一四世紀シエナの絵画が、ねじ留めされていた壁から引きはがされ、持ち去られる事件があった。のちに郵便により匿名で返送されてきたが、木製パネルが真っ二つに折れた状態だったという。一九四六年には、ドライバー二本、ハンマー一本、懐中電灯二つを持った窃盗犯が、コートのなかにトルコの絨毯を詰め込んで逃げようとしたが、ベテラン警備員だったダン・ドノヴァンが「あのふくらみは怪しい」と気づき、犯行を未然に防いだ。

一九五三年には、メトロポリタン美術館の警備員がストライキを実施した（それはたまたま、ウィリアム・ピット［大ピット］の陶器製の肖像がその設置場所から盗まれたあとのことだった）。警備員たちは、入口の堂々たる大理石製の階段の上で、けばけばしい歴史的衣装を身に着けて示威運動を行なったが、輝く鎧の騎士に扮装していたある警備員は、こんなプラカードを掲げていた。「私がもらっている賃金も中世からある。だがその賃金にではなく中世の展示物にお金が使われている」

一九六六年には、事件が二つあった。まずは、レインコートを着た男がゲインズバラ［★3］の絵画を奪って逃げた。だが、警備員に追いかけられて走っているうちに落としてしまったという。次いで、ブロンクスの野菜行商人が、モネの『ヴェトゥイユの眺め』という作品に穴を開けた。その理由は誰にもわからない。

一九七三年には、メトロポリタン美術館が窃盗の恩恵を受けることになった。館長の指示により、古代ギリシャの陶芸家エウフロニオスが絵付けした華麗な壺を購入したが、それは明らかに、複数の国境を越えて密輸された断片を組み合わせたものだった。「ホット・ポット」と呼ばれていたこの壺は結局、《ニューヨーク・タイムズ》紙のマフィア担当記者が発表したいくつもの暴露記事により密輸の事実が明かされ、二〇〇六年にイタリアに返還された。

一九七九年から一九八一年にかけての時期には、災厄が相次いだ。まずは、ヘルメスの頭部に傷がつけられた。その一年後には、一〇代の若者たちがハンガーを使って、粗悪なつくりの展示ケースからラムセス六世の指輪を奪った（仲間の宝石商が、指輪を返還してほしければ金を払えと美術館を脅迫しようとして失敗し、逮捕された）。その逮捕劇のほんの数日前には、エドガー・ドガの二つの銅像が盗まれたと美術館が発表したのち、すぐにそれを撤回した。「少々の手違い」があったらしく、銅像が以前もいまも保管室にあることを職員が認めたからだ。そして最後に、ケルトの硬貨や古代の金製の衣服の留め具など、小さな展示物がいくつか陳列ケースから消えていると、清掃員から連絡があった。これは、一見まじめそう

★3……この絵はその後、トマス・ゲインズバラのおいであり弟子でもあったゲインズバラ・デュポンの作だと考えられるようになった。

に見える守衛が犯人だったことが判明している。

だがそれ以降、保安部は改めるべきところを改め、著しい変身を遂げた。私は一九八三年生まれだが、私が生まれてこのかた、メトロポリタン美術館の展示室に窃盗犯が入ったことは一度もないらしい（ただし、研究室から野球カードが数枚盗まれたことはある）。これはみごとな業績であり、先人や同僚たちのたゆみない警戒によるところが大きい。

＊

メトロポリタン美術館は、毎年七〇〇万人近い来館者を迎え入れている。これは、野球のニューヨーク・ヤンキースやニューヨーク・メッツ、アメリカンフットボールのニューヨーク・ジャイアンツやニューヨーク・ジェッツ、バスケットボールのニューヨーク・ニックスやブルックリン・ネッツを合わせた観客動員数よりも多い。あるいは、自由の女神やエンパイア・ステート・ビルの来訪者数よりも多い。ルーヴル美術館や中国国家博物館には負けるが、美術館・博物館に関するかぎり、それ以外にメトロポリタン美術館を上まわるところはない。

その来館者のおよそ半数が海外からの旅行客であり、残り半分を占めるアメリカ人の半数が市外からの旅行客である。入館料として「自分が払いたい額を払う」方針［★4］を採用しているため、お金が問題になることはなく、大勢の人々が公園に出かけるような感覚で、一日をこの美術館で過ごす。つまりメトロポリタン美術館は、その名にふさわしい来館者を引き寄せていると言っていい（訳注：「メトロポリタン」は「大都市の」を意味する）。多種多様な人々が多種多様な理由から、この巨大都市のなかでもっとも魅力に満ちた集合場所へとやって来る。

生粋のニューヨーカーではない私は、この街でしかできない人間観察を初めて経験したときのことをよく覚えている。労働者も洗練された人も近所の風変わりな人も、同じ歩道を歩く権利を主張し、誰も一歩も引こうとしない。怖気づく様子もない。だまされているように見えたり、疲れた顔をしていたり、不機嫌そうだったりするかもしれないが、人目を気にしたり、縮みあがったり、身構えたりすることはほとんどない。要するに、他人を気にしているようには見えない。ニューヨーカーが人間観察の恰好の対象になるのは、この「群衆のなかの一人」感があるからだ。私は大学時代によく、メトロポリタン美術館正面の大理石製の階段に座り、五番街を延々と流れていく人々を眺めながら、思っていた以上に多くの時間を過ごしたものだ。そしてそれに飽きると、背後にあるメトロポリタン美術館の大きな入口の扉をくぐり、それまで観察していた群衆と同じように他人を顧みない、密集した無頓着な群衆へと仲間入りする。群衆から距離を置き……群衆へ溶け込み……距離を置き……溶け込む。

★4……残念ながら二〇一八年現在、この方針が適用されているのはニューヨーク州の住民だけである。

それが都市住民の呼吸なのである。

だが警備員となった私が、持ち場に立つ私のそばを通り過ぎていく群衆に溶け込むことはない。調度品に溶け込むことはあるかもしれないが、群衆に溶け込むことは絶対にない。私はむしろ、この行列を見守る不動の観衆である。だが、一〜二時間公園のベンチに座っているのと、こちらの存在に気づかない他人と静かな部屋で一緒に何日も過ごすのとは、まったくの別物である。後者にあるのは、銀の盆を持ったまま存在感を消す執事が知っているに違いない居心地のよさである。ただし、偶然にも私の場合は、その行列をただ見たり聞いたりしているだけではない。それが私の主たる任務なのだ。

来館者が美術館を体験する様子を見ていると、まったく一様ではない。ただし、典型的なタイプがいくつかある。何であれそうだが、人間観察も続けていれば上達する。その技術をマスターしようと努力しているうちに、私はいわば、毎日会っている何千もの人々のなかから典型的なタイプを拾い上げられるようになった。

まず挙げられるのが、観光客タイプである。たとえば、地元の高校のウィンドブレーカーを羽織り、首からカメラを下げ、何であれ有名な作品を探しまわる父親がいい例だ。こういう人物は、芸術にとりわけ関心があるわけではないが、目の前にあるものが理解できないわけではない。実際、「おいおい、額縁ばかりだな！」などと大声で繰り返しながらも、古の巨匠の技量に感嘆している。また、自分の学齢期の子どもが世界史の授業で勉強したことを説明してくれると、まじめに耳を傾けたりもする。芸術の殿堂とも言うべきこのメトロポリタン美術館にレオナルド・ダ・ヴィンチの作品が一点もないことを知って、驚きと失望をあらわにするが、それでも大いに熱狂した状態で美術館をあとにする。

次いで、恐竜ハンタータイプがいる。こちらはたとえば、角を曲がるたびに首を伸ばして先をのぞき込み、この美術館には芸術作品しかない証拠が積み上がるたびにあわてふためく、小さな子どもを連れた母親である。彼女にとってもその家族にとっても、それは初めてのニューヨーク旅行であり、タイムズスクエアに宿泊する一大イベントなのだ。そんな彼女は心のどこかで、有名な美術館や博物館には、ティラノサウルスや対話式のレーザーディスプレイなど、子どもを楽しませるものが何かしらあると思い込んでいる。だが、それがないとわかると、彼女はこの美術館を最大限に楽しもうと気持ちを切り替える。すると警備員が彼女を脇へ呼び寄せ、ミイラや輝く鎧の騎士を勧めてくれる。彼女は、子どもたちに愉快な話をしてくれるこの警備員がいたく気に入り、ニューヨーカーは本当にすてきな人たちだと近所に触れまわる気満々で美術館をあとにする。

そしてさらに、恋する人タイプがいるが、これは三種類に分かれる。第一に、芸術に恋している人がいる。《ニューヨーカー》誌の特集記事に掲載された展覧会を見に、ほかの街からやって来て、静かにじっと絵を見つめている人である。ウサギに囲まれたカメのように展示室をゆっくりと進んでいく間、その表情はほとんど変わらないが、その心は激しく泡立っている。第二に、メトロポリタン美術館そのものに恋している人がいる。物心がついたころから、この美術館を世俗の教会のように見なしてきた地元の人たちだ。若いころは来館するたびに数ドルしか払えなかったが、いまでは比較的安価な基本会員の料金も払えるぐらいにはなっている。優れた着想や美しい作品とは何の縁もない仕事をしているが、それらを身近に感じられるこの場所があるからこそ、いまもこの街で暮らしている。そして第三に、文字どおりの恋人たちがいる。恋人たちは展示室をチョウのように飛びまわり、沈黙が続いても気にすることなく、強烈な感情が自然に感じられる場所に降りて止まる。

また、彫像や石棺、年代物の椅子、引き出しのついた何かを見ると触れずにはいられない来館者がいるが、これにもいくつかのタイプがある。大半の人々は、絵画に触れてはいけないことを心得ているが、それ以外の展示物となると、触れてはいけないことを忘れてしまう。メトロポリタン美術館全体に粉末を振りかけて指紋を採取すれば、無数の容疑者が浮かびあがることだろう。そのなかには、どうしても自分を抑えられない人がいる。ひんやりと冷たい大理石に呼びかけられ、知らないうちにそれをなでているのである。また、ある標的に的を絞り、故意に触りに行く人もいる。そういう人は、その足取りに明らかな意図が見て取れるので、私も事前に彼らの目的を察知し、間に割って入ることができる。

そしてさらに、単にルールを知らない人もいる。時代を経てもろくなった芸術作品に関するさまざまな問題はすべて、「触るな」という一つの回答にたどり着くのだが、そんなことをじっくり考えたこともないという人たちである。私はある日、古代のウェヌス像の膝によじ登ろうとしている中学生の少年を止めたことがある。するとその少年は謝り、もの思わしげに周囲を見ながらこう言った。「だから、ここにあるのはみんな壊れてるの?」。言われてみればそこは、頭や鼻、手足のない古代の彫像の戦場のようだった。「全部ここで壊れたの?」

そのほか、一風変わった人々が私の目を引くこともある。たとえば、見ることに疲れ、歩行器につかまってほぼ水平に身を屈めている高齢の男性と、その耳元に何やらささやきかけている妻とがいる。夫の体力が尽きたため、これ以上見てまわることのできない中世の聖遺物について、妻が夫に長い時間をかけて細かく説明しているのだ。それが終わると、妻の助けを借りて夫は体を起こし、二人は先へとゆっくり歩いていった。

また、アメリカ美術の展示エリアにある噴水のところで、ある母親が子どもに二枚の硬貨を渡しながらこう言っていた。「一枚は自分のお願いのため、大きさが同じもう一枚は、ほかの人のお願いのため」。私はこれまでそんな言葉を聞いたことがなかったが、いつか自分の子どもにもそう言おうとすぐに思った。

さらには、まったく同じ服装をし、同じように髪が白い二人の老婦人がいた。よく見ると、二人は双子だった。さらによく見ると、二人の間に一カ所だけ違いがあった。一方はひも状の蝶ネクタイをつけていたが、もう一方はつけていなかった。

そんな人たちを一分余りしげしげと見ていると、不思議なことが起きる。突然その人が踵を返し、こちらに歩いてきて私に質問をするのである。

＊

ある日の午後、ルネサンス初期の展示室に立っていると、驚異に打たれながらも楽しそうなある男性を見かけた。男性はいま、ドゥッチョ・ディ・ブオニンセーニャの『聖母子』を見つめ、聖母のベールの美しいひだ、そのリズム、その繊細さに感銘を受けている。やがて男性は、私のほうを振り返ると、この小さな傑作を肩越しに見ながら言う。「この部屋の絵は……これは……」。そこで言葉が途切れる。「これは……」。自分の言いたいことがよくわかっていないのだろうか。「これは……その……岩屋で見つかったものなの？」

男性は中年で、身なりがよく、話を聞くととても信心深いようだ。これほど古いキリスト教絵画が残っているとは知らなかったらしく、七〇〇年前の絵画がこんなに鮮明に見えるのが信じられないという。その絵は、卵の黄身と、すりつぶした野菜や昆虫や石とを混ぜ合わせた絵の具で描かれたと私が説明すると、男性は目がくらむような驚きに包まれた。

「それで、これは……その……岩屋で見つかったの？」

いいえ、と私は答える。これらの絵は、人から人へ、司祭から司祭へ、修道僧から修道僧へ、買い手から売り手へ、そのほかさまざまな経路をたどり、無事この美術館のコレクションに加えられたのだ、と。

「この部屋の絵は……司祭が描いたの？」

私はさらに説明する。司祭ではない。これらの絵のほとんどは、職人のような画家と、職人のようなその弟子たちが、裕福な支援者や教会からの依頼を受けて描いたものだ。当時絵を描くためには、絵の具の材料をすりつぶして調合し、金を打ち伸ばして金箔をつくり、木材を切ってパネルを用意し、バランスを考慮しながら構成を決め、輪郭を描き込み、中世的な辛抱強さで、毎日毎日一層ごとに、陰影をもたらす丁寧な筆使いで、絵の具を慎重に塗っていかなければならなかった、と。

「じゃあ、この人たちはなぜこんな姿をしているの？」。男性はさらに質問をする。その姿がどこか奇妙に見えたのだろう。

いい質問だと私は言い、それにこう答えた（実際には考えながら答えたため、以下の内容はそれをおおまかに言い換えたものである）。

「そうですね、昔の画家は、自分の絵を写真のように見せることにあまりこだわりませんでした。そもそも写真など見たことがなく、そんなものがいずれ生まれるとも思っていませんでしたからね。それに、昔の画家は一般的に、天使とか聖人とか、そういったものを描いていますが、それらは、いわば象徴のような美しいデザインでこそみごとに表現できると思っていたんでしょうね。象徴のようなこれらの姿はとても美しく、その役割をきちんと果たしています。ただし、ドゥッチョのこの絵は、ルネサンス時代の初期に描かれました。人間が人間に多大な関心を抱くようになった時代です。人間はどんな姿をしているか、何を考えているか、人間には何ができるか、その人生や夢はどんなものか、といったことです。これは、それまでになかった考えでした。それ以前は、人間は罪深い堕落した被造物であり、つかの間この世で暮らしたのちにあの世に向かうだけの存在だと見なされていました。

そのため、ルネサンス時代の画家は、新たな方法を生み出さなければならなくなりました。つまり、新たな見方です。表面や外観、野草、人間の身体や顔など、目に見える世界に注意を向けると同時に、聖なる調和や序列に対する信仰を表現する方法です。驚くべきことに、ルネサンス時代の画家はそれに成功しました。彼らが獲得した、ものごとのバランスを取る方法、偶然と永遠とを調和させる方法は、現在のあなたや私の見方にも影響を与えています。それはまた、何世代もの画家に影響を及ぼしました。私たちは、その長い道程の最初の段階を見ているわけです。この絵は、足元がやや粗いですが、とても生き生きとしていて美しいと私は思います」

私がたどたどしく説明している間、男性はむさぼるように私の話に耳を傾けている。こういう人はまれだ。知識があるふりをすることもなければ、ばかにされることを怖れてもいない。心の門を広く開け放ち、群れを成して押し寄せる新たな思想を招き入れる。私は、その日に感銘を受けたどんな出来事よりも、この男性の心の広さに感嘆する。男性はやがて礼を言って去っていった。そのとき以来、この男性のような人物を探すのが私の日課になった。

この男性は聞く側だったが、たいていの人は話す側だ。自分の考えを独り言のように語る人もいる。たとえば、いろいろ考えながら言葉を入念に選び、ゆっくりとだが熱心に、私に一人語りをしてくる女性がいた。私は、この女性にかかった魔法を解いてしまうことを怖れるかのように、なるべく動かないまま耳を傾けていた。

女性は、『アンデスの中心』という広大な風景画を見上げながら言う。

「ここの画家たちは優秀ね……こんなにきれいな絵を描いて……人間って自分の仕事にこれほど熟練できるものなのね……この絵は何カ月も、何年も心のなかにあって……それを思い出すたびに……安らぎの地に連れ戻してくれる……本当にすばらしい……写真を見て描いたわけじゃない……まさにこの風景を見て……それを描いた……」

そこで私が、『川の湾曲部』という別のアメリカの風景画を教えると、彼女は言う。

「じゃあ、それを見てこようかな」

来館者が警備員に話しかける口調は、もっと高級なスーツを着たもっと忙しそうな人に話しかける口調とは違う。ある展示物を見て、それが気に入れば、これまでの人生でこれほど美しいものを見たことがあるかと言いながら、にじり寄ってくる。それが芸術家気取りのくだらない代物だと思えば、誰もがこんなくずを欲しがるかもしれんが、あんたとおれだけはそうは思わないよな、といった言葉を投げかけてくる。もしかしたらそれは、この制服のせいなのではないかと思う。その着古された感じが労働者の人々の共感を、そのきちんとした感じが洗練された人々の共感を呼び覚ますのかもしれない。

とはいえ、私たち警備員は対話に飢えているわけではない。警備員が襟の折り返しに「何でも私に聞いてください！」と書かれた悪趣味なボタンをつけていたら、来館者たちはむしろ警備員を見下すに違いない。美術館の警備員は、そんなボタンとは正反対の存在である。私たちは言うまでもなく、沈黙に満足している。だがその一方で、ちょっかいを出していい相手でもある。

来館者たちは、私の心を読むのが実にうまい。私が物思いに没頭しているときには、たいていいつも一人にしておいてくれる。だがしばらくして、私の心が外へ開かれ、他人を受け入れられるような表情が顔に浮かんでくると、周囲から「あの人に聞いてみよう」という声が聞こえてくるようになり、どんどん来館者が近寄ってくる。

私は特に、キツネにつままれたような人に尋ねられるのが好きだ。そんな人が好きなのだ。私に言わせれば、展示品に圧倒されてメトロポリタン美術館をふらふら歩いている彼らのほうが正しく、展示品に冷静に対処している教養人たちのほうが間違っている。キツネにつままれたような人たちは、実際に驚くべきものに驚いている。ピカソの絵がすぐそこに、自分の息が届くところにある。エジプトの神殿が解体され、ニューヨークに持ち込まれている。私はそれに驚く人々を見て、かつて持っていたいかにも俗物的な衝動を抑えられるようになったばかりか、そんな衝動を愚かなばかばかしいものと退けられるようになった。

私たちのなかに、この世界やそのあらゆる美について多くを語れる者など、一人としていない。確かに、ミケランジェロの生没年はわかるかもしれない。だが彼のアトリエに身を置けば、自らの無知に圧倒されるに違いない。ペルシャの細密画家のアトリエでも、ナヴァホ族のかご編み師の作業場でもいい。おそらくはそんな芸術家や工芸家でさえ、彼らの作品の対象となった、巨大ではあるがとらえがたいものをつかみきれてはいないのだろう。彼らもまた、メトロポリタン美術館のなかでキツネにつままれるに違いない。

*

休暇の時期になると、美術館は来館者でごった返す。

観光客から見れば、感謝祭から新年にかけてのニューヨークは、あらゆるものがクリスマス気分になる。観光客はそのなかをやって来て、ロックフェラーセンターでアイススケートを楽しむ人々のように、展示室から展示室へと滑るように移動していく。私も、三度目の休暇シーズンを経験するころには、これらの群衆が放つ特別な雰囲気にも慣れてきた。観光に来た行楽客、大人になった子どもや孫たちとクリスマスを過ごすため田舎から出てきた高齢の夫婦、休暇を母親と一緒に過ごすため実家に帰ってきた元ニューヨーカー（「いまはスコッツデールに住んでいるけど、生まれも育ちもブルックリンなんだ」）……。人間観察にもっとも忙しくなる時期だ。

私はその日、二〇世紀初頭に活躍したアメリカの写真家三人の写真展『スティーグリッツ、スタイケン、ストランド』の展示室の警備を担当していた。

私がこれらの作品を見て最初に思ったのは、見覚えのある光景がたくさんあるということだ。ストランドは一面を雪に覆われたセントラルパークを撮影していたが、これは、私が地下鉄から降りて歩いてくる間に見たことのある景色だった。スタイケンはフラットアイアン・ビルディングの姿をカメラに収めていたが、以前の私たちはよく、病院を出てこの見慣れたビルのそばを通ってマディソンスクエアに向かい、そこでランチを食べたものだった。スティーグリッツは高層ビルや低層の建物から成る都市景観をとらえていたが、私はそれを見ながら、「そうそう、これこそまさにニューヨークだ」と思わずにはいられなかった。優れた写真を見ていると、ファインダーをのぞく目の興奮や、定着液から魅力的な映像を引き出そうとする手の熱意まで伝わってくる。

そこから少し離れた展示室には、スティーグリッツがのちに妻になる画家ジョージア・オキーフを撮影した一連の写真が展示されている。それは、肖像画でもなければスナップ写真でもない。習作と呼ぶのが妥当なところだろう。彼女をより深く理解するための取り組みのようなのだ。彼女の手、足、胴、胸、顔、また顔、また顔。彼女にははっとするような美しさがあるが、それよりもこの一連の写真は、一般的な人間がどのように見えるか、私たちがどれほど具体的かつ特徴的につくられているか、姿勢や身ぶりがどれだけの情報を伝えているか、私たちがどんな線、色、光、影として他人に見えているか、といったことに気づかせてくれる。これらの写真を見ていると、オキーフが毛のない霊長類にも厳粛な女神にも見えてくる。実際そういうものではないだろうか？　私たちの種全体の神秘を感じないではいられない。

写真から目を離して展示室全体を眺めると、目の前の光景に思わず吹き出しそうになる。この狭い一画には、世界各地から来た数十人の生身の人間がいる。それなのに、そこにいる誰もが、すぐそばにいる本物の人間になど目もくれず、壁に掲示された写真のなかの、色も動きもない人間をじっと見つめている。まるで現実の人間など、ありふれた存在に過ぎないとでもいうように。

確かに、私たちはいつでも現実の人間に会える。しばらくすれば自分の人生から永遠に消えてしまう他人に、なぜ注意を払う必要があるだろう？　それに対して、この写真のジョージア・オキーフは、一つの芸術作品として、ほかの私たちが持っていない価値を帯びている。彼女は静止している。不変である。彼女のまわりの額縁が、彼女の神聖な美と、世俗的でありきたりな世界とを隔てている（「神聖」を意味する「sacred」はもともと「離れて置かれた」という意味だった）。私は思う。私たちにはときどき、立ち止まって崇拝する許可をもらうことが必要になるが、芸術作品がその許可を与えてくれるのだ、と。

私から少し離れたところで、ある男性が目の前にカメラを構え、感情を見せないジョージアの顔の写真の写真を撮影している。その瞬間、非現実的な光景を目撃しているような気がしたが、その理由はすぐにわかった。私たちには、指の隙間からこぼれ落ちていくとわかっているものを十分に経験することはできない。だからこの男性は、こうしてカメラに収めれば、現実をより確実に把握できると思ったのだろう。私たちは所有を求める。ポケットのなかに入れて持ち帰ることを望む。だが、ポケットに入れて持ち帰れる真に美しいものなどなく、私たちが見たり経験したりするもののほんのごく一部しか所有できないとしたら？

そんなことを考えていると突然、展示室にいる見知らぬ人たちが、実に美しい存在に見えてきた。彼らはいい顔をしている。表現力豊かに歩く。感情的に眉を跳ね上げる。母親の若かりしころを思わせる娘、息子の将来の姿を思わせる父親。若い人、年老いた人、人生の盛りに向かっている人、盛りを過ぎた人。あらゆる意味で彼らは現実だ。私は目を調査ツール（つまり鉛筆）として使い、彼らの姿を心のスケッチ帳に描こうとする。

スケッチはさほど得意ではないが、それはつまり、これからもっと上達できるということだ。彼らがどんな服装をしているか、どう体を支えているか、恋人と手をつないでいるか、どんな髪型をしているか、どんなひげを生やしているか、私に目を向けているか私の視線を避けているか、その表情や姿勢や足取りに喜びや苛立ち、退屈、放心が現れていないかを見て、そこに意味を探す。そして、自分が見ているほとんどのものに決定的な意味などないこと、言葉で表現できるものなどないことに気づき、その瞬間的な光景のきらめきに喜びを見出す。

その日の仕事を終え、私は八六丁目駅から地下鉄に乗り、共感しやすい気分を抱えたまま、同じ車両に乗り合わせた乗客を見わたす。普通の日であれば、他人を見ても、その人に関するきわめて基本的な事実さえ忘れてしまう。だが彼らもまた、自分と同じ現実の存在だ。自分と同じように、喜んだり苦しんだりしている。自分と同じように、つかの間だが辛くもあり豊かでもあるもの（人生）と闘っている。

私はふと、トムの病室を訪れたあと、地下鉄に乗って家に帰っていたころのことを思い出す。あのころは、意地の悪いふるまいをしたり、たまたまぶつかった乗客に毒づいたりしている人を見ると、そんな無分別がとうてい信じられず、ひどく憂鬱な気分になったものだ（そうしたくなる気持ちはわからなくもないが）。だが今夜は幸せだ。疲れて放心している乗客の顔を、愛情を込めて眺められる。

三〇分後、ユニオンスクエア駅で乗り換えた列車がマンハッタン橋を渡り、ブルックリンに入っていく。自宅で待っている人のことを思うと、愛情がさらにふくらんでいく。

7……クロイスターズ美術館

兄の葬式が行なわれたのは、私の結婚式が予定されていた日だった。

私たちは式場を予約し、バンドも雇っていた。盛大に執り行なわれるはずだった結婚式の二週間前には、市役所に立ち寄って婚姻届も提出していた。トムとクリスタは私たち二人の結婚の立会人になるはずだった。ところが土壇場になって電話があり、トムの容体が悪化しているという。それなら、会場をクイーンズ区の市の施設にしたらどうだろう？　だが、トムの容体はそこへも出かけられないほどひどかった。それが二〇〇八年六月三日のことである。結局トムは、同月二二日にこの世を去った。

タラ・ロアと最初にデートをしたのは、そのおよそ一六カ月前のバレンタインデーだった。その日になったのは偶然に過ぎない。私たちは二人とも、そんな日に二人きりなのが恥ずかしく決まりが悪かったので、そんな気持ちを紛らわせようと、ビッグ・ニックスという大衆レストランで食事をすることにした。ボックス席につくと、タラの携帯電話が鳴った。タラは電話に出ると「サーラ！」と言い、突然ブルックリンなまりでまくしたてた。まるでヴェラザノ＝ナローズ・ブリッジの下を流れる水のように滔々と。

「ベイリッジに戻ったの？　ねえ私、あなたのオカアサンを見たよ。キノウ、あなたのオカアサンを見たの」

私は実際のところ、この女性のことを何も知らなかったのだと思う。何しろ、これまでずっと、彼女が普通にしゃべっていると思っていたのだから。だが、なまりがあっても別にかまわない。少々意外だったけれど。

そのデートの一カ月前、見知らぬ他人だった私たちは、大みそかのダンスパーティで出会った。そしてそのデートから間もなく、私はアップタウンにある彼女の自宅で一夜を過ごすことになる。あのころは、地下鉄のA系統に乗ってマンハッタンの端の終点まで行くと、実際に空気が薄くなったような気がしたものだ。私は四階にある彼女のアパートまで階段を登っていき、扉をノックすると、市内全域のなかでも間違いなくもっとも奥まった僻地へと滑り込んだ。ブロンクスで教師をしていたタラは、明け方に起きると、仕事の準備を始める。私は寝ぼけ眼でそんな彼女の様子を見守る。彼女はロア先生と呼ばれるにふさわしい服を慎重に選び、詰め込み過ぎのバックパックに荷物を慎重にまとめると、『眠れる森の美女』の王子のように私にキスをする。そして、あの小さな、「sacred」なアパートに私を一人残して出ていった。この「sacred」は、「離れて置かれた」という意味である。

そのアパートのある建物の角を曲がったところ、森林に覆われた丘の上に、クロイスターズ美術館がそびえている。マンハッタンの北端にあるメトロポリタン美術館の別館である。「ここがまだニューヨークだなんて信じられる?」。その当時のある日、私たちは息を弾ませつつ、ありえない場所にある美術館に向かう誰もが言うに違いないそんなセリフを口にしながら、その丘を登っていった。やがて木々の間から、一三世紀の修道院を模した、風化した灰色の石でつくられた建物が姿を現す。私たちはそこからさらに曲がりくねった階段を登っていき(私の記憶ではたいまつで照らされていた)、ようやくその建物にたどり着くと、二人で一〇ドルの寄付金を支払い(それでも気前のいい額だと思った)、中世の聖域で構成されるこの美術館の最初の間に足を踏み入れた。

そこは、重々しい石材でつくられた一二世紀フランスの礼拝堂だった。こじんまりとしていて装飾が少なく、粛然とした美しさがある。以前ブルックリン・イタリアーナというカトリック学校に通っていたタラが、悪気もなく、それを八二丁目の聖アンセルム教会になぞらえたので、私はつい笑ってしまう。彼女は私の手を取り、私を祭壇のところへ連れていくと、聖櫃があったであろう場所を指し示し、自分が神を恐れていたころの話を、楽しそうに、思い出深そうに、あるいは当時をあざけるように話す。見たところ彼女は、教会的なものを前にすると内省的な沈黙に陥る私とは違い、そのような沈黙とは無縁だった。それでも私たちは、二人ともこの礼拝堂に魅了された。よく反響する部屋に漂う美しくも憂鬱な雰囲気が、私たちに合っていたのだ。ただし、あまりに幸せすぎて、さほど厳粛な気分ではいられなかったけれど。

私は以前にもクロイスターズ美術館を訪れたことがあったが、どういうわけか、「クロイスター」という言葉の本当の意味を知らなかった。修道僧が引きこもって祈りを唱える小さな部屋のことだと思っていた。だが実際には、修道院の建物に囲まれた屋外の中庭を意味する。この広い世界からは隔離されているが、太陽や月や星々からは隔離されていない場所。私たちがこの美術館で最初に見たクロイスターは、一二世紀のカタロニアにあった、花があふれんばかりの庭園だった。鳴き鳥がたくさんとまっている果樹があり、中央の泉で交差する小道があり、周囲にはピンク色の大理石でつくられた柱廊がある。かつては食堂や寝室へ向かう修道僧たちが、この場所を横切っていったのだろう。あるいは、袖をまくり上げ、すきをつかみ、この隔絶された庭の手入れをしたのかもしれない。彼らにとってはここが、ささやかな創造の場だったのだ。

二人で滑らかな敷石の上を歩いていると、タラがどこかタップダンスのようなステップを踏む。それが彼女の癖なのだ。私がある花を指差し、自分がシカゴ郊外のカブスカウトに入っていたころには、地域の家を戸別訪問してチューリップの球根を売り歩かされたものだったという話をすると、彼女はびっくりしていた。クラブアップルの木の下に来ると、今度は彼女のほうが子どものころの話をする。彼女は、寝室が二つある三階のアパートで、二人のきょうだいと育った。一階には祖母（イタリアのアブルッツォ出身）が、すぐ下には曾祖母（「マムーチャ」と呼ばれていた）が暮らしており、低木の生い茂った小さな庭にはイチジクの木が生えていた。

やがて彼女に連れられ、隣接するチャプターハウス（修道僧の集会所）に入ると、私たち二人は、身長一七七センチメートル余りの彼女には小さすぎるベンチに腰を下ろした。そこからだと、陰になった場所に身を隠しているような気分で外の庭を眺められる。上には、巨大なイカが四方八方に触手を伸ばしているかのような、リブボールト構造の天井がある。タラがこの休憩時間を楽しみながら、自分は学校時代、友人たちと「年がら年中」チャプターハウスに入り浸っていたという話をする。今度は私がびっくりする番だった。

「それって高校のころのことだよね？　スタテンアイランドに引っ越したんじゃなかったの？」

彼女は、確かにそのころには引っ越していた。だが引っ越してからも、マンハッタンの同じ学校に通い続けていた。つまり、毎朝市バスに乗り、スタテンアイランド・フェリーに乗り、地下鉄に乗り、二時間かけて学校へ通っていたのだ。そのため彼女は、ニューヨーク市内のどんなに長い移動にも慣れてしまった。だから彼女もその友人たち（やはりマンハッタン以外の行政区から学校に通っていた）も、ミッドタウンで会ったのちにここまで地下鉄で帰ってくることを何とも思わないのだ。

「でも、どうしてここに住んでるの？」と私が尋ねる。

すると彼女は笑いながら言う。「私たち、詩人だったから。それか、詩人だと思ってたのね。ここが地の果てみたいに思えたの。秘密の場所みたいに。一五歳の誕生日にここに来たことがあってね。黒いクモの巣みたいなドレスを着て、こういうベンチでくつろいで話をしたりしただけだけど」

私たちは、まるで大昔の話でもするように思い出話をしては笑った。当時の私たちはまだ二三歳でしかなかったのに。

私たちは立ち止まることなく、続くいくつもの展示室を通り抜けていった。私一人で来ていたのなら、あちこちで足を止め、『メロードの祭壇画』をじっくり眺めたり、ベリー・セント・エドマンズ修道院の十字架をまじまじと検分したりしていたことだろう。だがタラは、実際のところ「芸術好き」ではない。それにそこには、それ以上にじっくり検分せずにはいられない美があった。私たちは、二番目のクロイスターにたどり着くと足を止めた。絶景があったからだ。そこは、かつての修道院の建物に囲まれた場所ではなく、美術館の端だった。眼下に、パリセード断崖を背景に流れるハドソン川を一望できる。私はそのとき、この細長いマンハッタン島が狭まった先端に立ち、ニューヨーク港へゆったりと流れ込む大河を眺めている私たちを、上から見ているような奇妙な感覚を覚えた。それと同時に、私たち二人が記しつつあるラブストーリーの輪郭がはっきりと、鮮明に見えたような気がした。

「港がなかったら、きみは存在していなかったかもね」と私がタラに言う（彼女の父親は船乗りで、ブルックリン・ネイビー・ヤードに停泊している間に母親と知り合った）。真実を伝える言葉が、信じられないほど生き生きと感じられる。翌日の日曜日、二人でマンハッタン島を縦断し、イーストリバーを越えて彼女の祖母の家を訪れ、食事をともにするのが奇跡のようだ。その次の週末にはクイーンズ区に出かけ、恋愛における私たちの先輩であるトムとクリスタの家を訪れることになっている。

私たちは薬草園を散歩し、シャボンソウ、ニガヨモギ、クロニガハッカなど、魔女が使いそうな薬草の名前を見つけては笑い興じた。そして間もなくクロイスターズ美術館を去り、あの丘を下っていった。

＊

八カ月後、私たちはトムの病室で婚約を発表した。その日、病室は陽気なクロイスターと化した。私たちはこっそりビールを持ち込み、プラスチックのコップで乾杯した。驚きのニュースを聞いて、トムの顔色が一気に明るくなった。

それからわずか四カ月後、タラと私は交代で、病室のベッドのそばで夜を過ごすように

✪図11—もう一度、ピーテル・ブリューゲル『穀物の収穫』に寄せて。

なった。トムが寝ている間は、音を消してテレビを見ていた。

そんなある晩、クリスタとミア、タラと私の四人がトムを見守っていたときのことだ。もうかなり遅い時間だった。トムはもう理性をうかがわせることはほとんどない。それなのに突然頭を持ち上げ、チキンナゲットが食べたいと言いだした。私は、マンハッタンの夜のなかへと飛び出し、ナゲットとディップソースをたっぷり抱えて戻ってきた。そのときほど幸せだったことはない。ベッドの周囲で、私たちはピクニックを開いた。ささやかな人数で愛情と哀しみと笑いを交わし合う、このうえなく好ましい出来事だった。

いま思い返してみると、このピクニックは、ピーテル・ブリューゲルの傑作『穀物の収穫』を想起させる。その絵を見ると、広く奥行きのある風景を背景に、数名の農民が午後の食事をとっているからだ。絵のなかほどには教会、奥には港があり、金緑色の畑が遠く地平線の彼方へと広がっている。その少し手前には、大鎌で穀草を刈り取る男性と、腰を屈めてそれを束ねている女性がいる。そしていちばん手前の角には、共感を呼び起こさずにはいられないこっけいな九人の農民が、農作業をやめ、ナシの木の下に座って食事をしている。

ブリューゲルのこの傑作を見ていると、ときどきこんなことを考える。これは、文字どおりこの世でもっともありふれたものを描いている。かつては大半の人が農民だった。その大半が小作人だった。ほとんどの生活は苦労と困難ばかりであり、その合間に、他者と分かち合う喜びや休息があるだけだった。こうした光景は、ブリューゲルにとってはあまりにありふれたものであり、つい見逃してしまうようなものだったに違いない。だがブリューゲルはそれを見逃さなかった。そして、この広がりのある絵画の前面に、そんなささやかな、みすぼらしくも神聖な人々を置いた。

私はときどきわからなくなる。人生が偉大な絵画に従っているのか？　それとも偉大な絵画が人生に従っているのか？

8……番人

この仕事を始めて四年目のある日の朝、私が仕事場に行くと、山積みにされた空の木箱のそばに、新人警備員が緩い列をつくって待機している。私は予定より少々遅れて着いたので、その前を素通りして急いで派遣局に入った。すると、しばらく私の名前の入ったマグネットタイルを探していたボブが、ようやく口を開いた。

「ああ、ブリングリー。今日は新人を指導してもらう。制服に着替えたらまたここに来てくれ……ビーヴァーズ、セクションA！　ノヴィコフ、セクションG！」

私は急いで制服を着た。新人を指導するのは初めてだ。先ほどの場所に戻ると、新人を横目で見やっているベテラン警備員の数が増えている。私はそこに加わった。

「ほんと？　まだ指導したことないの？」とマキャフリー氏が私に尋ねる。「おれなんか、もう二〇年も新人を指導しているよ。ただし、おれが新人に教えることなんて一つしかないよ」。話を聞いていた誰もがオチを待つ。「もっといい仕事を見つけろってな！」

私は雑談から外れ、新人たちをしげしげと眺める。紺色の制服から見慣れない頭が突き出している姿を見るのは、いつも奇妙な感じがするものだ。だがそれも、一週間ぐらいの間だけだ。それを過ぎると今度は、彼らの私服姿を見ると奇妙な感じがするようになる。これらの新人のなかの誰を担当することになるのだろう？　白髪を少年みたいに刈り込んで、バディ・ホリーのようなしゃれた眼鏡をかけたあの年上の女性だろうか……腕組みをして小さな声でハミングしている、あのトラック運転手のように大柄な男だろうか……たったいまこの場に駆け込んできたばかりの、あの大学を卒業したばかりの少年だろうか（初日から遅刻ではあとが思いやられる）。やがて、私たち警備員の上司の一人が指令センターから現れ、背後の扉を閉め、施錠してこちらを向くと、私の夢想もそこまでとなる。その上司が、クリップボードを見ながら言う。

「よし、では始めよう。スミッティ、きみはここでクーパーさんを指導してくれ。カラジさん、きみはゴールドマンさんと一緒に仕事をしてもらう。キャラブリースさん、エスピノーザさんを頼む。ブリンググリーさん、どこにいる？　そこか。きみにはアカクポッサさんを指導してもらう」

ごま塩頭に四角い眼鏡をかけた五〇代後半の男性がこちらを見ると前に出て、敬意のこもった丁寧な態度で握手を求めてくる。私は、威厳のある世代に属する冷めたよそよそしいタイプの人なのだろうか、という第一印象を受けた。ところがその男性は、たちまち表情を和らげ、好奇心に駆られて私をまともに見据え、感じのよい西アフリカなまりでこう言った。

「ジョセフです。今日私を指導してくれるのは何という方ですか?」

私は、指導者の役を演じられるのがうれしかった。私は新人を連れて歩きながら、前回の労働組合選挙の結果が報じられている掲示板や、ほとんどの警備員が使わない電動靴磨き、『自由に使用可』というメモを貼った余った発泡スチロールボードの山を指差す。台車に載ったエジプトの小像が通り過ぎるときには、脇へ寄る。やがて私が先になって、業務用の階段を登っていく。むき出しのコンクリート壁にどぎつい蛍光灯、角には空のコーヒーカップが一つ。その先に、「ゆっくり開閉してください」と書かれた金属製の扉がある。私が促すと、ジョセフがそれを(ゆっくり)押し開ける。そこにあるのは、彼のメイン担当セクションとなるアメリカ美術の展示エリアだ。

私たち二人は、二階建てのギリシャ神殿のようなファサードが一方にある、ガラス張りの彫像の陳列室に立つ。私が口を開く。

「研修中にあのファサードの話を聞きました?　あれは以前、ウォール街の銀行だったんです。一八二〇年代に建設されたもので、一〇〇年後に取り壊されて、ここに再建されたというわけです。ウォール街についてはどの程度知ってます?」

私は自分が指導者の立場にいることを実感しながら、意気込んで口早にそう言うと、さらに話を続ける。ウォール街という名称のもとになった壁（ウォール）は、植民地時代につくられた。オランダの植民者がアフリカの奴隷を使って壁を建設し、イギリスの植民者や現地に暮らしていたレナペ族を閉め出したのだ、と。ジョセフは辛抱強く注意深い、はつらつとした目をした学生のようだった。だが、そう思っていたのもつかの間、彼は私の話を遮り、下腹を抱えて笑いだした。「嘘をついていました」。彼は謝罪してこう続けた。「ウォール街のことなら知っています。何年もあそこで働いていましたから」

こうして、魅力的なパズルの最初の数ピースが置かれていく。私が聞いたところによると、ジョセフはトーゴ出身だった。彼の言葉を借りれば、「ガーナをニューヨークとすると、ニュージャージーのようなところ」らしい。そこで銀行の仕事をしていたが、言外にほのめかされた何らかの劇的な事件のため、ニューヨークのウォール街にやって来た。それからさらに、詳しく語られることのない紆余曲折があって、いまここにこうして私のそばに立ち、このファサードを見上げているのだ、という。彼の物語のところどころに見られる欠落部分については、いまのところはまだ肩をすくめるだけだった。

通常、セクションGの主任のデスクは二階のアメリカ絵画の展示室にあるが、いまそこは大がかりな改修工事のため閉鎖されている。そのため私たちは、貸し切りイベントで使われる配膳・調理室へと入っていく。ちなみに、この貸し切りイベントとしてもっとも有名なのが、盛大なファッションの祭典「メットガラ」だが、ジョセフには、その警備は担当しないほうがいいと忠告する（「ぼくは一度やってみたんです。でも配置された場所が舞台から遠すぎて、何も見えませんでした」）。

主任の到着を待つ間、同僚たちがしきりに手を差し出して、ジョセフに挨拶している。私が自分の勤務初日を思い返しても、そんな待遇を受けた覚えはない。だがそれは一般的に、二五歳の若造がこの仕事を長く続けるとは誰も思っていないからだ。少々歳のいった新人であれば、この仕事のよさを実感してここに長く居座る可能性が高い。やがて私たちは、セクションの主任から配置メモを受け取る。今日は、アメリカの昔の部屋が展示されているところ、警備員たちが「オールド・ウィング」と呼んでいるエリアである。

私たちは、一九二〇年代にアメリカ美術の展示エリアとして最初に建設された場所へ行くため、ガラス張りのエレベーターに乗って上へ向かう（中庭の銅像が小さくなっていくのを見ながら、子どもたちはあれに乗りたがるんじゃないですかとジョセフがうがったことを言う）。間もなくきしみやすい木製の床の上に出ると、「柔らかいでしょう。脚に優しいんです」とジョセフに説明する。そして角を曲がり、一七世紀のマサチューセッツにあったオールドシップ教会集会所を模した部屋のなかに入る。ジョセフが、太く美しい垂木に見入り（船大工の知恵に基づいた構造である）、自分は大の歴史好きであり、ビル・オライリーとハワード・ジンを愛読していると語る。私たちは部屋全体を横切るように歩いていくが、多くの歴史的な場所同様、心に思い描いていたイメージほど広くはない。私はジョセフに、セイラムの魔女裁判も同じような集会所で行なわれたのだと告げる。これぐらいの大きさなら、いちばん後ろの席にいる農民の男性も、厳しく問い詰められている女性の目をのぞき込むことができたかもしれない。

しばらくして交代の時間になると、私たちは身を屈め（本当に身を屈めたのはジョセフだけだが）、天井の低いハート・ルーム（ハート家の住宅の一室）に入る。これもまた、一七世紀のマサチューセッツのものだ。当美術館が、解体予定の家屋からこの部屋だけを外してここに持ってきたらしい。

「貧しい人たちだったのかな？」。暗く狭苦しいが魅力的でもある部屋を見まわしながらジョセフが尋ねる。

「裕福な人たちですよ。もしかしたら相当裕福な」。鉛枠の小さなガラス窓を指差しながら、私が答える。当時はぜいたく品だったのだ。

「じゃあこの天井は？」。身長一七二センチメートル余りの私なら巨大な大梁の下を難なく歩けることに気づき、ジョセフが笑いながら尋ねる。

「みんな背が低かったんですよ。いまみたいに食べ物に恵まれていませんでしたから」

この仕事の細かいポイントを説明するのにこれほどいい環境はない気がしたので、私はアーダから聞いた言葉をそのまま借用し、「来館者に愚かなことをしないよう注意しないといけない」といった思慮深そうなことを言う。また、それに加えて、私が独自に学んだ知恵も伝える。たとえば、来館者に道順を教えるときに、「ダウン・ザ・ホール（この通路の先に）」という言葉は使わないほうがいい。そう言われると、英語があまりわからない来館者は、下へ降りる階段を探そうとするからだ。ジョセフはその合間に、ときどきいい質問を返してくる。私は、その一つひとつに答えられる自分を誇らしく思う。「持ち場」「押し出し」「交代要員」「指令センター」「派遣」「三隊」など、いろいろな専門用語を使って説明すると、ジョセフは感じ入ったように聞いている。

私たちはこの部屋の周囲を巡回する。そこは、のちにアメリカ美術の展示エリアに不自然に追加された、こじんまりとした三階にあたる。奥まっているうえに、この時間に来館者が来ることもまずないので、私はそこで、実にアメリカ的なジョセフの人生の物語をもう少し聞いてみる。話してくれたところによると、ジョセフは以前、大学院に留学するため、テネシー州ナッシュヴィルにやって来た。「オバマの父親が取得したのと同じ奨学金を受けて」のことらしい。ヴァンダービルト大学で経営を学んでトーゴへ帰国すると、瞬く間に出世し、ある大手銀行の「ナンバースリー」になった。だがやがてトラブルに巻き込まれた。余計な危険を冒して不正な取引を阻止したため、権力者から敵視されるようになった。そしてある事件が起きた（ジョセフはここでも具体的な内容を話すのを避けた）。その結果、一九九〇年代初めに亡命者としてニューヨーク市に来たのだという。

午前一一時、同期入社のテレンスがやって来て、次の持ち場へと押し出される。テレンスはようやくクロイスターズ美術館から異動となり、いまはアメリカ美術の展示エリアの主力として働いている。私は、いつも愛想のいいこの二人の紳士とよく立ち話をし、トーゴについて、ガイアナについて、あちこちの店について、それぞれの家族について語り合った。そして、二人ともとてもいい関係にあると思うたびに、喜ばしい感情がほとばしるのを感じた。私たちはやがてささやかな三人組となり、メトロポリタン美術館における親友同士になっていく。

ジョセフと私は階段を降り、またしてもこじんまりとした、オールド・ウィングの2Aフロアに移動する。今度は、ジョージ・ワシントンが最後の誕生日を祝ったヴァージニア州の居酒屋のなかだ。ワシントンについては、ジョセフに話したいことが山ほどある。ギルバート・ステュアートが描いたあの有名な肖像画は、この展示室にある。ジョセフはこれから、一ドル札をその絵のそばに掲げ、眉根を寄せて見比べる来館者を何度となく見ることになるだろう。来館者たちはきっとそのあとで、ジョセフのほうを振り返り、『デラウェア川を渡るワシントン』はどこにあるのかと尋ねる（ポトマック川やハドソン川と間違える場合もある）。だが、その絵は広告板並みに大きく、改修工事中も移動させることができなかったため、いまは見ることができない。それを聞いて来館者たちはがっかりすることだろう。私はジョセフに、アメリカ美術の展示エリアには笑いを誘う特徴があることを教える。ここには、白いかつらをかぶった男性の肖像画が無数にあるが、そのどれもが、遅かれ早かれジョージ・ワシントンの肖像画と間違われる運命にある、と。

この居酒屋（やはり心のなかで思い描いていたイメージよりも狭い）には、マホガニー製の高級家具がずらりと並んでいる。その木材は、燃え立つような深紅色だ。チッペンデール様式の椅子に歩み寄ると、テレンスが教えてくれたことを思い出す。このマホガニーは、カリブ海のおそらくはベリーズで、奴隷により伐採された。テレンス自身もおそらくは、カリブ海に連れてこられた最後のアフリカ人奴隷の子孫だという。どうしてそれがわかるのかと尋ねると、彼はこう答えた。それ以前の世代の奴隷は一般的に、家族を持つことを認められていなかったからだ。死ぬまで酷使され、死んでしまえば、中央航路を渡って連れてこられるほかのアフリカ人に置き換えられるだけだった、と。そう言いながらテレンスは身を屈め、その椅子の製造年を確認した。どうせイギリスの製品のつまらない模造品だろうと思ったのだ。ところがそうではなかった。「一七六〇年？　ええっ、そうなのか」。テレンスが重大そうに言う。「まずいな」

私はいま、ジョセフにそんな話を伝えながら、アメリカ美術の展示エリアに関して言う必要のないことまで指摘する。このすばらしい品々は、アメリカのある特定の物語を伝えている。それを監視するアメリカの警備員は、それ以外の物語を体現している、と。

そのころ、ようやく来館者がやって来た。ジョセフは背筋をまっすぐ伸ばして来館者を出迎える。ちょうどいいことに彼らはフランス人だ。ジョセフなら、母国語で彼らに対処できる。彼らは2Aフロアに足を踏み入れると立ち止まり、あたりを見まわし、何ごとかをぼそぼそとつぶやき、明らかにとまどっているようだが質問をすることもなく、そのまま元来た道を戻っていく。私たちはため息をつき、二人して笑う。

私はジョセフを窓のところへ連れていき、その下にある、アメリカ美術の展示エリアの中庭をのぞき込む。私たちはいま、先ほどのウォール街のファサードを通してそこを見ているわけだ。私はそのとき、そばにいるこの男性との間に打ち解けたつながりを感じた。そして、その感情の高まりが理性を超えてしまい、気づいたときにはもう、普段なら恥ずかしくて口に出せないようなことまで口にしていた。私は口早に、この仕事に献身的な愛情を抱いていること、このままずっと警備員でいたいと思っていることを伝えた。どうしてほかの仕事をする必要がある？　この仕事は単純明快で、いろいろなことを学べ、そこで考えることはすべて自分だけのものだ。

実際、私はこの仕事が単に好きなだけでなく、いつか好きでなくなるなどと考えることもできないほどだ。これほど穏やかで誠実な仕事のあら探しをするなど、俗悪であり、愚かであり、裏切りでさえある。いや、感謝していると言ったほうがいいのかもしれない。私は、この柔らかい木の床や一〇〇〇年も前の芸術に感謝している。製品を売る、嘘をつく、溝を掘る、レジを鳴らすといった仕事と縁がないことに感謝している。ジョセフは私の言葉に刺激を受けたらしく、興奮したような目でこちらを見ている。年長者が年少者を見る目だが、それこそ彼にふさわしい。私が思うに、ジョセフはおそらく、これまでの自分の人生の紆余曲折を思いながら、心のなかで私をからかっていたのかもしれない。「この若造は、自分の人生がこれからどうなるか本気でわかったつもりでいる……」などと考えながら。

ジョセフはのちにこう語ってくれた。

「私は暗殺されたんだ。ある日、仕事場から自宅に帰ってきたところを、銃を持った二人の男に撃たれた。私が妨害をしたあの不正取引を計画していた男たちが雇ったんだ。左腕に一発、腹に八発銃弾を受けた」(彼は「八発」という言葉を特に強調するでもなく、淡々と話した)。「ところがありがたいことに、重要な器官を貫通している銃弾は一発もなかった。それが一九九四年の火曜日のことだった。金曜日には、私が勤めていた銀行がお金を出して、私をパリの病院に送ってくれた。そこで内臓を元どおりにしたんだけど、回復するまでに四カ月かかったよ。そのあと、アメリカの観光ビザを取得した。アメリカに着いてすぐに亡命申請をしたら、あっという間に申請が認められた。ニューヨークでの最初の仕事は、時給四ドル二五セントだったな。警備員としての最初の仕事は、五ドルちょっとだった。ヴァンダービルト大学時代のコネで、ウォール街の仕事を見つけたけど、中間管理職タイプの仕事で、以前のようにはいかなかった。このなまりでこの肌の色じゃ、よけいね。そのあと、合併を機に解雇されたとたん、金融恐慌に見舞われた。少々荒っぽい地区に小切手の取扱店を開いたんだけど、自分はそんなビジネスをやっていけるほどタフでもなければ意地悪でもない。すぐに着るものもなくなって、貯めていたお金も全部なくなった。でもいいさ、それでいい」

驚きと関心を抱きながら聞いている私に、ジョセフが肩をすくめる。

「本当にいいんだ。命もある。家族もいる。誠実さもあるんだからな。いま、私を撃ったあの男たちに会ったら、握手をするだろうよ。それでいいじゃない？　いいんだよ」

ジョセフは話の締めくくりに、その日の終わりに大ホールに集まってきた同僚たちを見わたしながら言う。「紺色の制服のなかには、それだけ多くの物語があるってことさ」

＊

芸術作品を守るのは孤独な仕事だが、例外もある。たとえば、大ホールに配置されたときがそうだ。このセクションCには三種類の持ち場があり、警備員たちはそれぞれ「テーブル」、「ポイント」、「ボックス」と呼んでいる。「テーブル」は、手荷物の検査だ。来館者たちは外からやって来ると、テーブルの上に手荷物をドサッと置く。その中身を私たちが手でひっかきまわし、持込禁止のものがないかどうか確認するのである。持込禁止のものには、明らかなもののほかに、食料、旅行かばん、美術品そのもの、楽器、昆虫がついている可能性のある花束などがある。

「ボックス」は「チェックボックス」とも呼ばれ、いわゆる携帯品預り所である。携帯品預り所は北と南に二カ所あるが、両方とも驚くほどの広さがあり、まるでボックスではない。それぞれに、金属製の電動回転式コンベアが八基装備されており、何百着ものジャケット、ピーコート、パーカー、毛皮のコート、そのほかの上着を運んでいる。それ以外にも、バックパック、買い物袋、バスケットボール、オートバイのヘルメットなど、展示室に持ち込むべきではないと思われるあらゆるものを受け入れている。

私のいちばんのお気に入りの持ち場は「ポイント」だ（「チェックポイント」とも呼ばれる）。ここでは基本的に、入場者証を確認する。入場料を支払った来館者は、その日指定の色のブリキ製の小さなピンをもらう。私たちは、来館者が三方向の展示室に向かう前に、それを身につけているかどうかを確認する。

ポイントは、この美術館どころか、この地球上でもっとも社交性が試される仕事場だと言えるかもしれない。二人の警備員が一メートルほどの間隔を置いて、意図的に狭くした入場路の両側に立ち、無駄話をしながら一日を過ごす。その会話がまったく途切れないわけではない。展示室の道案内をしたり、違反者に注意したりすることもある。だが、目が合って気まずくなることなど一切なく、身のまわりで起きるさまざまな出来事（無礼な来館者、おかしな質問など）をえさに、気さくな会話が延々と交わされる。驚くべきことに、八時間に及ぶこの雑談が、互いの名前を知らないまま行なわれることもある。保安部隊にはあまりに大勢の人がいるため、いきなり片手を突き出してこう言ったとしても無作法にはあたらない。

「何度も見たことがありますよ。ちなみに私はパトリックです」。なかには、無作為に割り当てられるこの差し向かいの仕事を何百回とこなしている猛者もおり、そういう人たちは礼儀作法になどまったくこだわらない。

私もそのころになると、この会話を最後まで続けてみせようという気になり、徐々にその方法を学んでいた。たとえば、ふだんよりも詳しく野球の結果を追い、「サンタナは調子がよさそうだね？」などといった言葉をいつでもかけられるようにしている。そのほか、政治のことも、音楽のことも、本のことも、店のことも話す。少々おおげさに、仕事中に腹立たしく思ったことを口にすることもある。それが、警備員の気持ちを一つにする話題だからだ。これらいずれの場合であれ、自分の性格を歪めるようなまねはしない。それでも自分の頭から脱け出して、他人の波長に合わせてやりとりをする必要はある。

これまでに会得したいちばんの会話のこつは、質問をすることだ。理想的なのは、答えがはっきりせず、返答が長くなるような質問である。私の場合、自分の人生の物語を話してくれる人が相手だとうれしくなる。たいていの人は、それを尋ねられると驚くが、話を促されると、自分にも話すことが山ほどあることに気づく。そこで私は、素直に自分の無知をさらけ出し、「え、モルドバ？　モルドバについて私が何も知らないなんて信じられます？」などと質問する。すると相手はそれを信じる。全体的に見て警備員は、互いの知識の差に苦労することに慣れている。自分たちがきわめて広大な世界からやって来たことをよく知っているのだ。

ある日ポイントで一緒に働いたナザニンという女性がいる。彼女はイラン出身だったので、私は最初、彼女の祖国について多少の知識があるところを見せようと、いつかテヘランを訪れてみたいと告げた。すると彼女は「テヘラン?」と言って顔をしかめ、「そのうち行けるんじゃない?」としか応じなかった。そこで私は、知識があるふりをするのをやめ、彼女の生まれ故郷の街シーラーズについて話してもらった。ファールス州の州都、古代ペルシャ人の故郷、実に美しい庭園やモスクがある「バラの都」である。彼女はそこで、一一人のきょうだいと一緒に育った。母親が学校の教師をしていたので、主に父親に育てられたのだという。

「それって珍しいことですよね?」と私が尋ねる。

「もちろん!」と彼女が言う。

「父は仕事をしない『白い手の男』だと、母はいつも文句を言っていたの。父は一二人の子どもを育てて、その一人ひとりを一人っ子のように大事にしていた。それなのに母は、父を怠け者だと思っていたの。でも母には感謝してる。教師としてとても尊敬されていて、時間があれば帰国して会いに行くようにしてる」(ナザニン自身も教師で、この仕事のあとに、ペルシャ語を教える仕事をしている。この会話からしばらくのちに、彼女は警備主任に昇進した)

特別な技能を必要としない単純な仕事のいいところは、みごとな技能や経歴を持った人でも働けることだ。ホワイトカラーの仕事には、同じような学歴や関心を持つ人が集まるため、同僚の大半は似たような才能や知性しか備えていない。一方、警備の仕事となると、そのような問題がない。メトロポリタン美術館が新たな警備員を募集するときには、告知を掲示するが（以前は《ニューヨーク・タイムズ》紙に掲載していたが、現在はインターネット上に掲載している）、そこには要領よく手短に、「来館して面接を受ける」よう記されているだけだ。保安部は、この仕事をまじめにこなしてくれる有能な人材を求めているが、そのような要件を満たす大人は、多種多様なところに無数にいる。したがって、警備員として雇われる従業員は、人口統計的に多様なだけでなく（警備員のほぼ半数が外国出身である）、あらゆる観点から見て多様になる。

美術館の警備員になろうとする特定のタイプの人間がいるわけではないので、無数のタイプの人間がその役割を担い、それぞれが独自の道を進んでいく。《ニューヨーカー》誌の仕事をしていたころ、一緒に仕事をしていた仲間たちはみな、私立の名門大学を卒業したばかりであり、別の仕事を経験していたとしても同じ出版関係だったに違いない。それに対して、メトロポリタン美術館の警備員には、ベンガル湾でフリゲート艦を指揮していた人、タクシーを運転していた人、民間航空機を操縦していた人、家を建築していた人、農業を営んでいた人、幼稚園の先生をしていた人、警官として地域を巡回していた人、新聞社で地域のネタを集めていた人、デパートのマネキンの顔を描いていた人がいる。

そんな人たちが、五つの大陸から、市内の五つの行政区からやって来ている。芸術が好きな人もいれば、芸術にまったく関心がない人もいる。はつらつとした目をしている人もいれば、無愛想な顔をしている人もいる。これまでも警備の仕事をしていたという人もいれば、たまたまこの仕事をしているだけという人もいる。それでも意外なことに、彼らの誰と一緒にポイントを担当してもまごつくことはない。堅苦しい感覚は最初からない。私たちは同じ制服に身を包んでいるのだから。

＊

ある日の朝、私はトロイという警備員と一緒に、ロバート・レーマン・コレクションの展示エリアを警備することになった。ロバート・レーマンという投資銀行家が自身の美術コレクションを当美術館に遺贈したのだが、その内容があまりに充実していたため、このコレクション専用の展示エリアを新たに建設したのだという。トロイにもこの美術館に寄贈したものがある。それはトロイ自身である。これは、相当な価値のあるものだ。それほど個性的な人間なのだ。オクラホマで生まれた彼は、アッパー・ウエストサイドのホテルに（賃貸で）暮らし、ジャズのLPを聞きながら、アンティーク家具の修理もしている。朝にはたいていロッカーで、《タイムズ・リテラリー・サプルメント》という文芸雑誌のページを丁寧に破り取っている。それをポケットに忍ばせておき、折を見て、スマートフォン代わりにその記事を読むのである。

「やあ、トロイ」と私が声をかける。「今朝の調子はどう？」

すると彼は厳かに時計を見やり、「今日も長針が文字盤の上を回る運動を始めているよ」と真顔で言う。「おれたちがこの宇宙にお願いできるのはそれだけさ」。その言葉を聞いて私が笑うと、彼も笑う。そして、上司や早起きの来館者がいないのを確認して、雑談を始める。

私たちは、自分たち二人はさしおいて、ほかの人たちがどれほどばかなのかをテーマに会議を開く。といってもまじめな話でも意地悪な話でもなく、誰もがときどきするような話だ。トイレの場所を尋ねるのに、「トイレはどこですか？」とか「トイレを借りたいんだけど」ではなく、まるで私たちが音声コマンドで動くロボットであるかのように、ただ一言「トイレ」とだけ言う来館者……誰もが大学院で査読つき論文を読んでいることを密かに願っているかのような説明文を書く学芸員……一日中美術館に突っ立っているだけの警備員には美術館のことなど何もわからないと思い込み、何につけても警備員の意見など聞こうとしない経営幹部……公共のコレクションから漏れた残りかすを手に入れるために数百万ドルを費やす裕福な美術品コレクター……。意外にも、この最後のこきおろしがいちばん元気が出る。

「ところで、トロイ」と私が言う。「どうしてこの仕事をするようになったの？」

するとトロイが答える。

「二〇年間保険の仕事をしていたんだけど、ある日上司が部下に職業適性テストを受けさせたんだ。この世界のどんな仕事がいちばん自分に合っているかがわかるってやつさ（なぜかは知らないけどね）。そのテストを見ながら、こう思ったんだ。自分がこれまでになりたいと思ったのは、芸術を愛する裕福なパトロンだけだって。これが」と彼は言いながら、自分の紺色の制服の襟を引っ張る。「それにいちばん近かったんだよ」

しばらく前だったら、私はトロイとの間に距離を置いていただろう。これほどすばらしい人物に、意外にも同僚という対等な立場で出会う心の準備ができていなかったからだ。私は以前、いわば警備の仕事をする幽霊といった存在だった。それに比べてトロイは、見るからに成熟した大人だった。その持ち前の温かさや誠実さが、私が自分に課した孤独を脅かすような気がしたのだ。

だが状況は変わった。

この会話をしてから数カ月後、私はトロイの退職記念の食事会を開いた。ごく少人数で集まり、モロッコ料理を食べた。食事会が終わって駅に向かう途中、バワリー通りの聖マルコ教会のそばを歩いているときに、トロイが私を引き寄せてこう言った。

「あのさ、これは本当に悪くない仕事だよ。足は痛くなるけど、ほかは痛くならない」

＊

二〇一二年の春、私たちは《スワイプ・マガジン》誌の第三号の刊行を記念して祝杯を挙げた。これは、メトロポリタン美術館の警備員が制作・編集する、美術作品や散文、詩を掲載した雑誌である。その編集を担当した人たちが、ソーホーの非営利の画廊で祝賀会を開いたのだ。私たちは、素人演芸会も兼ねたその刊行記念パーティで大いに飲み、陽気に騒いだ。同僚たちが一緒にジャズを演奏したり、ソニックユースのようなノイズパンクを披露したり、映画のテーマ曲を奏でたり、漫談を演じたり、ジョーイ・ジーザスとかマイク・ロフォンといった芸名でラップを歌ったりする。みごとな才能を見せる者もいれば、そうでない者もいたが、見ている側は大喜びで、アルコールが流れるように消えていく。

その夜が終わろうとするころ、《スワイプ》に寄稿しているエミリー・レマキス［★5］という女性と話をする機会があった。エミリーは何年も前から、働く芸術家として活動している。芸術家といっても、メトロポリタン美術館の現代美術の展示エリアで見かけるような、たまたま宝くじが当たったたような運だけの芸術家ではない。むしろ、何が起ころうと働きながら生き、考えながらつくりあげるタイプの芸術家である。現在は、マンハッタンにある二八平方メートルほどのアパートに暮らしているが、ブルックリンのレッドフックにあるアトリエはその倍以上の広さがあり、幾晩もそこに（違法に）泊まり込んでいる。話によると一九七七年、一二歳のときにこの街にやって来て、一〇代のころは「悪ガキのための寄宿学校」で過ごしたという。一九九四年以来メトロポリタン美術館で働いており、彼女を知る者はみな、その分別ある冷静な態度に一目置いている。彼女は言う。

「フルタイムの仕事をしながら創造的な生活を続けるのが、私のフルタイムの仕事なの。そんなことをしながら気取った芸術を生み出すことなんてできない。でも誤解しないで。気取った芸術に反対しているわけじゃないの。私にはそんな芸術にかける時間がないってだけ」

エミリーの作品のなかでも私のお気に入りは、二〇一一年度の従業員美術展に出品した作品である。メトロポリタン美術館では数年ごとに、スタッフが制作した芸術作品を集めて非公開の展覧会を開いており、警備員も大勢それに参加している。たとえばトミーは、リベリア内戦を題材に、悲哀に満ちた絵画を描いた。アンドレイは、使い古したフライパンの裏面にオランダの巨匠の作品を複写した。フィンリー主任は、ニューヨークの薄汚れた通りで無数のけばけばしい看板を撮影した大きなカラー写真を制作した。

それに比べて、エミリーが出品した作品は異彩を放っていた。木、金網、泡、より糸、びんのふた、ワインのコルク、造花、ドライクリーニングされた制服が返却されるときに入れてある袋（それが長いロープのように三つ編みにされている）などで構成された、天井に届きそうなほど大きなバースデーケーキである。このケーキの台座には、四角いテレビが埋め込まれており、手製のレオタードを着てダンベルを上げるエミリーの動画が流れている。そして

★5……これは本名である。

きらきら輝くこのケーキのいちばん上には、この作品を理解する手がかりとなる「50」という文字が見える。

彼女は《スワイプ・マガジン》誌の刊行記念パーティの席でこう説明してくれた。「あれは私の自画像だったの。三つ編みも」（彼女はいつも長い髪を編んでいる）「ドライクリーニングの袋も、動画も、遅刻票も……」（これには気づかなかったが、あちこちに明るい黄色の違反通知の紙が貼ってあったらしい）「全部、私」

私はそんな彼女の話を聞きながら、まったく芸術には関心のない同僚たちが雑誌のページをめくったり、祝辞を述べたり、笑ったり、演奏に耳を傾けたり、背中を叩いたりしている姿を見て、自分が警備員であることを心から誇らしく思う。私はこれまで、あの制服の内側に秘密の自己を隠し持ってきたのだろうか？　もちろんそうだ。だが実際のところ警備員が、紺色の制服の内側に秘密の自己を隠しておくことはほぼできない。一回一回会話をするごとに、それがあらわになっていくのだから。

＊

私は意外にも、警備員や来館者とのごくささいなやりとりのなかに、次第に意味を見出すようになっていた。用事を頼む、返答する、感謝の思いを伝える、歓迎の気持ちを表現する……そこには心を元気づけるリズムがあり、それが私をこの世界へと連れ戻し、この世界と

◆図12—エミリー・レマキスが制作した「私の自画像」(大きなバースデーケーキ)に寄せて。

調和させていく。

悲しみとは何よりもまず、リズムを失うことだ。誰かを失う。すると人生にぽっかりと穴が開き、しばらくその穴のなかで身を縮める。私自身、メトロポリタン美術館に勤め始めたころは、その穴を大聖堂にまで巨大化させ、毎日のリズムとは無縁に思える場所にぐずぐずと居座っていた。だがやがて、そのリズムが私を見つけ、魅力的な声で呼びかけてくる。間もなく私は、永遠に黙っていること、永遠に孤独でいることを自分が望んでいないと気づく。人との出会いのリズムを発見するにつれ、まるで、自分がこれからなろうとしている大人を発見しているような感じがしてくる。自分がこれからの人生で直面する大きな問題の大半は、日常的なやりとりのなかで直面するささいな問題でもある。だから、辛抱強くなろう。親切であろう。他人の風変わりなところを楽しみ、自分の風変わりなところをうまく活用しよう。寛大になろう。あるいは少なくとも、どんなに機械的な状況でも人間的であろう。

夏のある日、私はボックスに配置された。右にはランディが、左にはイエタがいる。三人で肘をついて身を乗り出し、まだ少ない来館者を見ながら雑談を交わす。やがて来館者が一人やって来る。ランディが体を起こし、ニューヨーカーらしい落ち着きはらった態度で、若い女性からストランド書店のトートバッグを受け取り、「中身を確認させてもらいますよ」とバリトンの美声で言う。「ああ、《ニューヨーク・タイムズ》ね。さすが、お嬢さん。いい新聞だよね！」。そしてそのかばんを頭上の棚にしまうと、出し抜けにいつもの決まり文句を口にする。「よし、一丁あがり」

来館者がまた一人やって来る。今度はイエタが体を起こすが、アルバニアの航空料金について私と交わしている会話をやめることはない。男性が渡すオートバイのヘルメットを受け取りはするが、それ以外の点では男性を無視している。私はその様子を見ながら思う。この国の大半の場所ではそれが無作法にあたることを知っているという点では、私は間違いなく中西部の人間だ。だがその一方で、ここでは価値観が異なり、労働者も人間であることが幅広く許容されていることを知っているという点では、私は間違いなくニューヨーカーである。男性が受取票を渡す彼女に礼を述べると、彼女は優しげなウィンクでそれに応える。

そしてまた一人来館者が来る。今度は私が身を起こす。いまの私は、自分がなりたい携帯品預り所の受付係がどういうものかよくわかっている。いやそれどころか、自分がなりたい警備員がどういうものかさえわかっているような気がする。やがて休憩時間になる。ランディが手を振って私に休憩を伝えると、私は広い石づくりの階段に座ってランチを食べようと外に出る。こんな時間に五番街に出るのは、ばかげているのかもしれない。太陽がかんかんと照りつけ、高層マンションがぎらぎらと輝き、ドゥーワップの歌手グループが路上で歌を披露してお金を集め、タクシーがタンポポの色をなすりつけるように猛スピードで通り過ぎていく。私はホットドッグの屋台でマスタードを塗ったフランクフルト・ソーセージを買い（この屋台は警備員には一ドルしか請求しない）、よそ者の群衆の間に座りながら、自分はまさにここの人間だと思う。階段の上に腰を下ろし、ジャケットのボタンを外し、クリップ式のネクタイを取っていると、空を飛ぶ鳥の視点から自分を眺めているかのような、絵のように美しい感覚にとらわれる。この偉大な都市のまんなか、この偉大な美術館の階段の上に、一人の取るに足らない警備員が座っている。取るに足らない存在だが、もはや見えない存在ではない。この場所は居心地がよく、制服も自分にぴったり合っている。

私は、ポリエステル地の制服のポケットから小さなメモ帳を取り出し、心の表面ににじみ出てきた意欲を示す文章をいくつか書き留めた。私はこれまで、ほぼずっと受け身だった。メトロポリタン美術館やそのコレクションを、いわば隠れた目として観察してきた。だがこれからは、新たな姿勢を採用できるのではないかと思う。これまでは芸術を吸収することに時間を費やしてきたが、これからは芸術と積極的に格闘し、自分自身のさまざまな側面を、芸術が投げかける疑問にぶつけてみてはどうだろう？　これは、美術館にやって来る誰にとっても価値ある課題なのではないかと思う。思考する心を黙らせて芸術を経験したあとは、再び心のスイッチを入れて自己を主張し、そういう形でさらに多くを学んでいきたい。

9……クーロス

ある日曜日の朝、古代ギリシャ・ローマ美術の展示エリアの警備を言いわたされると、私はまず足の心配をした。一二時間勤務を二日続けて今朝を迎えたというのに、行きの地下鉄で座席に座れなかった。そしていま、哀れな警備員に情けをかけてくれる一片のカーペットもないセクションに派遣されようとしている。そこには見わたすかぎり、靴底を叩く冷たい大理石が広がっている。

私はその日、メインとなるギリシャ班に配属された。まずは、重い鉄製の支柱から長い組紐のロープを外し、その支柱を転がして、古代ギリシャの壺の後ろにある格納場所にしまう。床についたさび色の丸い染みの上にその支柱を置きながら、この支柱そのものもかなりの年代物なのではないかと考える。そのそばの白壁には、青いかすかな雲のような染みが見える。

これはいわば警備員の痕跡である。足を痛めた何百もの警備員が、安いポリエステル製の制服姿でそこにもたれた結果、次第にそんな染みができたのだ。

私はその痕跡に肩をもたせかけ、あたりを見まわす。今回の私の持ち場は、アルカイック期の芸術作品が並ぶ、きわめて天井が高く明るい展示室だ。アルカイック期とは、ホメロスが活躍した時代のおよそ一五〇年後から、ソクラテスが活躍した時代のおよそ一五〇年前までの過渡的な時代である。東に面した背の高い窓からは、ジャクリーン・ケネディの祖父が建てた高層マンションを背景に、商品を並べている露天商の姿が見える。実にニューヨークらしい光景であり、この展示室の目玉が『ニューヨークのクーロス』と呼ばれる彫像であるのも当然な気がしてくる。

これは、ほかの有名なクーロス（訳注：古代ギリシャの青年の裸体像）と区別するためにつけられた慣例的な名称だが、私は自分なりの理由から、その名称が気に入っている。その名称には、このすらりとしたアテネの青年が故国を離れ、クイーンズ区アストリア（ギリシャ系の移民が多い）の賃貸アパートで暮らし、毎日私たちと同じように地下鉄でメトロポリタン美術館に通っているかのようなイメージがある。私は同じ移住者として、また、来る日も来る日も美術館に立っている同志として、このクーロスに親近感を覚える。

警備員の痕跡が残る壁から背中を引きはがし、古代ギリシャの裸体像にできるかぎり近づく。裸体像はエジプトのファラオのように、片足を前に出す形で立っている。だがこの若者

◇図13―通称『ニューヨークのクーロス』(死者の遺骸の上に安置された墓標)。

はファラオでもなければ、王でもなければ、神でもない。それまでの大半の芸術作品のように、呪術的な目的で制作されたものではない。クーロスは墓標である。「この男は死すべき人間だった」ことを示すだけのために制作され、その男の遺骸の上に安置された。

奇妙なことに私は、ほんの少し誇らしい気持ちになる。このクーロスを見てそう思う人はけっこういるのではないかと思う。他に類を見ないほど親しみやすいこの傑作のモチーフは私たち自身なのだと、何かがそう語りかけてくる。おそらく独立した裸体像としては最初期のものだと思われるこの彫像には、感動的なほど素朴で、不器用にさえ見える部分がある。様式的に見れば未熟であり、この作品の制作者がまだ自分の技法を完成させておらず、新たなアイデアを形にする方法を求めて試行錯誤していたことを示している。それでもこのクーロスは、その試み（冷たく硬い石から命ある人間の姿をつくろうとする試み）の大胆さに気づいているかのようだ。

制作者は、神のような美しさを備えながら、まだ経験が浅く傷つきやすい裸体の人間の像をつくりあげた。この彫像の前に立つと、相矛盾する二つのことを容易に感じ取ることができる。このクーロスは、私とさほど変わらない腕前の制作者により、かなり以前につくられた。だがそれと同時に、これがつくられたのはそれほど前のことではない。このクーロスの素材となった大理石の時間の尺度で見れば、古代のアテネの若者はすぐそばにいる。

クーロスの右に目を移すと、みごとなネック・アンフォラがある。紀元前六世紀にろくろで成形され、絵付けされて焼成された貯蔵用の壺である。この壺には、ホメロスの叙事詩『イーリアス』に登場するアキレウスが、丹精を込めて描かれている。戦場で殺され、仲間の兵士たちに運ばれてきたばかりのアキレウスの姿である。『イーリアス』によれば、アキレウスは生命力と活力に満ち、「足が速く」、「体格がよく」、目は「大きく、燃え盛る炎のように明るく」、「荒々しい喜び」や「荒れ狂う怒り」を示すその叫び声は空気を引き裂いたという。だが、この絵のなかのアキレウスは、痛ましいほど力なく手足がだらりと垂れ、その魂（psyche）は最後の吐息とともに肉体から離れてしまっている（実際、「psyche」は、「呼吸」を意味するギリシャ語に由来する）。

この美しくも実用的な壺のそばに近寄りながら、私は古代ギリシャの死に関する知識を呼び覚まそうと頭を働かせる。そして、古代ギリシャの葬儀には司祭が同席しなかったことを思い出す。不死の神々は死を理解できず、死を気にかけることも死に目を向けることもなかったからだ。そのため家族が遺体の世話をした。命を失った体は、おとなしく、哀れな、まるで子どものようなものと見なされた。実際、「葬儀」を意味するギリシャ語には、「世話」という意味がある。家族は、愛する故人の遺体を洗い、油を塗って浄め、あごがだらしなく垂れないようにあごのまわりをひもで縛った。

その一方で、ホメロスの言葉を借りれば、「肉体から出た魂は、暗闇の井戸である黄泉の国へ飛び立つ」。そこは、この世にはないあらゆるもので定義される場所である。古代ギリシャの黄泉の国は、形がなく、生気がなく、もう一度ホメロスの言葉を借りれば、「ぼんやりとよどんでいる」。私はこのあいまいな世界について知ったとき、古代ギリシャ人は死後にどうなるかはよくわからないと考えていたのではないかと思った。彼らが知っているのは生だけだった。その知っていることを、クーロスのような彫像に注ぎ込んだのだ。

私は三〇分の休憩の際に、紙とペンを持ってロッカー室に座り、あのクーロスから言葉を絞り出し、その意味するところを必死に書き留めようと試みる。難しい作業だ。まずは、この彫像が完全に垂直に立っていることを記し、それをボーリングのピンになぞられた。それはまるで、後ろ足で立って動きまわるようになった人間という種の気概を称えているかのようだ。次いで、「肩から背中に見える傲慢さ……生は最高だと自覚している生命」とつづる。実際にそれこそ、過去の墓場を乗り超えていく唯一の支えだ。そしてさらに、この彫像の裸体についてメモする。それは弱く、無防備で、どんな矢でも貫けるほど柔らかい。実際にこの若者はすでに死んでいる。そして最後に、あなたや私など、あらゆる人について書き留める。私たちはみな、いまだにこの若者と変わらず、衣服の下は同じような姿をしている、と。

＊

古代ギリシャ彫刻の陳列室の中央に立って上を見ると、漆喰《しっくい》を塗った半円筒ボールトの天井が見える。ホメロスが活躍していた時代、空はコンクリートのように硬い真鍮《しんちゅう》製のドームだと考えられていた。それが、海に設置された柱に支えられ、円盤型の大地を取り囲んでいる。海の向こうには、やはり円盤型の太陽の裏側しか見えない冥界があり、その冥界の向こうには何もない。いや実際には、無さえない。古代ギリシャ人はきわめて実際的であり、自分たちの哲学に無限や虚空といった概念を入れる余地を残さなかった。そのどちらも自然のなかでは観察できないものだからだ。古代ギリシャの思想は数世紀にわたり発展を遂げたが、この彼ら独特の実際的な考え方を完全に手放すことはなかった。彼らの世界のあらゆるものには（神でさえ）形がある。そのおかげで、彼らの視覚芸術は過剰なほど豊かなものになった。

私が彫刻の陳列室に隣接する戸口に立っていると、宿題の話をしている学生たちの声が聞こえてきた。どうやら、以下のようなテーマで作文を書かなければいけないらしい。

「古代ギリシャ人は本当に神々の存在を信じていたのか？　信じていたと思う理由、信じていなかったと思う理由を、二つの芸術作品を取り上げて説明せよ」

称賛に値する宿題だ。私は、学生たちがどのような判断を下すのかがわかるまで、盗み聞きを続けることにした。ある女子学生が唇をつまみながら、こんなことを言う。どう見たって信じていたでしょ。だってまわりを見てよ、ほら。不思議だけど、でも……と肩をすくめる。すると、一緒にいた男子学生が、その意見に疑問を投げかける。だけど、悪魔みたいなものだったかもしれないよ。実際に悪魔がいると思っている人はいるけど、そういう人が言うのって悪魔のような人間ってことだろ？　大半の人は、それが言葉のあやだって思ってるんじゃない？　それを聞いた学生たちは、沈黙する神々をぼんやりと見まわすばかりだ。どうやら行き詰まってしまったらしい。

私は、彼らが最終的に「どちらかと言えば」といった言い逃れのような解答で妥協してしまうのではないかと不安になり、おそるおそる口を挟んでみた。「ねえきみたち、知恵を貸そうか？」。一瞬、彼らはびっくりする。私の制服を見て、何か間違ったことをしたのではないかと思ったのだろう。だが私の表情を見てすぐに安心し、助けてほしいと言う。そこで私は、作文に使えそうな言葉を一つ教える。「エピファニー」というギリシャ語だ。これは「神の訪れ」を意味する。古代ギリシャ人は、夢のなかでも現実の世界でも、いつもエピファニーを受けていた。「たとえばほら、これを見てごらん……」

私は学生たちを、アテナ・メディチと呼ばれる頭像のところへ連れていく。古代ギリシャの彫刻家ペイディアスが制作した傑作を、古代ローマ時代に複製したものである（元の作品は現存せず、この複製品の胴部分も失われてしまった）。私たちは一緒に、その顔を眺める。穏やかで無表情だが、固まったり凍りついたりしたようではない。知恵の女神の血の通った姿がしなやかに表現されており、その美しさは不屈さと力強さを兼ね備えている。

「アテナは特殊なタイプの知恵の女神だった。『オデュッセイア』を読んだことはある？　きみ、読んだの？　すごいね。その『オデュッセイア』によると、オデュッセウスに自信やひらめきが必要になると、いつもアテナが現れるんだ。きみたちにも身に覚えがあるんじゃないかな……だるくてよろよろしていたのに、突然気分が明るくなって、エネルギーや勇気や理解力があふれてきて、それまでできないと思っていたことができるようになる。あの感覚だよ。現代だと、こういう変化は体の内側から起きるって考えるけど、古代ギリシャ人はそうは思わなかった。彼らの考えでは、あらゆる力は外の世界から来る。予想もできない強い力が、人間の感情をつかみ、その運命を支配する。アテナは身近な女神と呼ばれることもあったけど、それはこの女神が心のなかに入り込んで、心を変えるからなんだ」

そう言いながら、目の前の頭像を指し示す。「それもいいほうにね。この女神をしばらく見て、知恵がどんな姿をしていると古代ギリシャ人が思っていたのか考えてごらん。この女神が私たちの気分を高めてくれるのかな?」

学生たちは私の説明をありがたがるふりをしていただけなのかもしれないが、私の言うことを理解しているかのようにうなずき、頭像を囲みながらノートに文字を書きつけている。そして「ありがとうございました」と言うと、別の神との出会い、大理石製の神からの第二のエピファニーを求めて去っていった。そんな彼らの姿を遠くから眺めながら、私は元気をもらった。

来館者のなかには、メトロポリタン美術館を美術史の博物館だと思っている人があまりに多い。そういう人は、芸術から学ぶのではなく、芸術について学ぶことを目的にしている。

専門家が正しい答えをすべて知っているのだから、素人が芸術作品から勝手な意味を引き出すべきではないと思っている。だが私は、メトロポリタン美術館で過ごす時間が長くなるにつれて、ここは美術史の博物館ではないとますます確信するようになった。それが本来の姿ではない。この美術館が関心を抱く対象は、上は天界にまで、下はウジ虫が湧く墓にまで及び、その間の空間で生きる感覚や意味にまつわるほぼすべての側面を網羅している。それに関する専門家などいない。私は、自分の目の前で芸術が何を明らかにしているのかを見定めようとするときにこそ、芸術を真摯に受け止めているのだと思う。あの学生たちが、先ほどの宿題を真摯に受け止めてくれることを願ってやまない。彼らにとってはいいスタートが切れたのではないだろうか。

＊

イスラム美術の展示エリアは、八年に及ぶ全面的な改修後の再オープンに向けて着々と準備を進めていた。期待は高まっていた。この数カ月間、白い作業着を着て赤いトルコ帽をかぶったモロッコ人作業員に出くわすことが多々あった（彼らはよく、八一丁目の出入口の外でたばこを吸っていた）が、彼らがつくっている中庭は驚異的な出来だと言われていた。

再オープンのテープカットが行なわれる数週間前、私が昼食休憩に行こうとこの展示エリアの前を通りかかると、デイヴィス主任が二枚の蛇腹式ついたての奥から出てくるのが見えた。私が首を伸ばしてなかをのぞき見ると、主任は笑みを浮かべ、無線のアンテナを振りながら、よかったら見ていけというしぐさをする。そして「本当にいいんですか？」と言う私をついたての奥へと押し込んだ。

「もちろんさ。ここの従業員だろ？」と主任が言う。

私は、誰もがうらやむ「座れる持ち場」で仕事をしている警備員の前で名前を記入してなかに入ると、腕時計を確認する。四三分。昼食を抜けば、なじみの美術館のなかに文字どおり新たにオープンする展示エリアを、四三分探索できる。目の端にふと、モロッコ美術の展示室がかすかに見えるが、ここはきちんと順番に見ていこう。私は深呼吸をして気持ちを静め、最初の展示室から探索を始める。

まずは、数世紀に及ぶ世界中のコーランを展示した序章的な展示室に入る。九世紀に北アフリカで、インディゴ染めの羊皮紙に書かれたコーランの紙片がある。オスマン帝国の兵士が首にぶら下げていたと思われる小さなコーランもあれば、トルコ＝モンゴル系国家の皇帝ティムールが所有していた高さ二メートル以上のコーランの一ページもある。

私は間もなくそこに背を向け、ドーナツ型に並ぶ展示室を順にまわり始める（ドーナツの穴の部分は、一階の古代ローマ美術の展示室とつながっているのだろう）。七世紀のダマスカス……八世紀のバグダッド……さらに東のペルシャや中央アジアへと、時代と地域をたどっていく。どの展示室にも、絹や亜麻の織物からガラス器や陶器まで、実用的だが美しい品々が無数にあるが、じっくりとは見ていられない。一二世紀のイラン美術の展示室では、ライオンをかたどった真鍮製の香炉のほか、シャーをかたどったキングのコマ、高官をかたどったクイーンのコマ、ゾウをかたどったビショップのコマ、戦車をかたどったルークのコマなどが並ぶ、八〇〇年前のチェス盤をまじまじと眺める。ほとんど使われていないチェスのセットにはよくあることだが、このセットもポーンが一つ欠けている。

私は時間を気にしながら、あまたの魅惑的な品々のそばを通り過ぎていく。この先の展示室にも興味深い品々が延々と続くことはわかっているが、いまは本当に珍しいものにしか時間をかけていられない。たとえば、六〇〇年前に中央アジアで描かれた、預言者ムハンマドをはっきりと描写した絵画などである（イスラム教徒のなかには、これを冒瀆的だと見なす人もいる）。トルクメン人のまばゆいばかりの鎧も、満足できるほど時間をかけてはいられない。というのも、またモロッコ美術の展示室が視界に入り、もはやまっすぐそこへ向かわざるを得なくなったからだ。

そこが、大邸宅やイスラム神学校の敷地のまんなかにある本物の中世の中庭だったとしたら、私は泡立つ噴水のそばにひざまずき、儀礼に従って手と足を洗ったことだろう。ここに設置された噴水は大幅に縮小されている（私はのちに、来館者にコインを投げ入れないようたびたび注意することになる）。それでもこの部屋には呆然とさせられる。すぐ近くの壁には、手で加工したさまざまな色や形のタイルで緊密なモザイク画が描かれており、見る者の頭を混乱させる。反対側の壁にも同じようなモザイク画があり、遠くから見ると、このうえなく整然としてはいるが静止するのを拒否するかのような模様にまとめられている。模様のある一部を選び出してそこに視線を注いでも、瞬く間にその周囲に広がるより大きな全体が意識されてしまう。ストラップと呼ばれる細く白いいくつもの線が、タイルの間を通過して交わり、多面的で壮麗な星に収斂したかと思うと、また分岐してくねくねとうねり、ほかの場所にさらなる星を生み出す。

だが、この中庭における最大の驚異は頭上にある。両側面に、間隔を置いて並んだ柱に支えられた化粧漆喰のアーチがある。その表面に、模様が立体的に見えるほど深く刻まれた、レースかと思えるほど繊細な彫刻がある。ある部分は、多種多様な乾燥パスタをテーブルにばらまいたかのように見える。またある部分は、もつれ合ったつるやハチの巣、デコレーションケーキになみなみとかけられた糖衣、バイオリンの胴にあるS字形の穴、地下鉄の排水溝のふたに落ちた小さな葉、ヨーロッパの大聖堂のバラ窓を想起させる。だがもはや私には、目の前にあるものを十分に吸収するだけの時間がない。昼食休憩の時間が間もなく終わる。いつかここに戻ってきて、フルに八時間あるいは一二時間ここで警備を担当したいと思いながら、イスラム美術の展示エリアをあとにする。

それから数週間後、私が派遣局に入っていくと、しばらく私のマグネットタイルを探していたボブが、それを上に掲げながら私に言う。「ブリングリー、新たな展示エリアのオープンに伴って、きみのホームセクションを変更しなければならなくなった」。そして私のマグネットタイルを、新たに設けられた欄に貼りつけた。「セクションMに行ってくれ。イスラム美術だ」

＊

こうして、三カ月にわたりイスラム美術の展示エリアの警備を担当する日々が始まった。正式名称で言えば、「アラブ地域、トルコ、イラン、中央アジア、および後期南アジアの美術」である。試用期間以来、これほど定期的に美術館の一セクションの警備を担当したことはなく、私は改めてどっぷりと浸る感覚を味わった。以前、古の巨匠の絵画に浸っていたときには主に、芸術の神聖なる側面、その静けさや神秘的な沈黙に関心を抱いていた。だがそれ以来、いろいろと聞きたがる来館者に対応したり、ほかの警備員たちと親しく交わったりする機会が増えた。これは、この美術館が持つ世俗的な魅力である。やがて私は、このイスラム美術の展示エリアで、美術館（および世界）におけるこの二つの側面が互いにどう関係し合っているのかを教えてくれるものを見つけることになる。

私は以前から、こんなことがあるかもしれないという話を聞いていたが、ある日それが実際に起きた。それは、敬虔なイスラム教徒の来館者が、これは実際に東を向いているのかと尋ねてきたところから始まった。その男性は、モスク内にあるミフラーブと呼ばれる壁龕《へきがん》を見ながらそう尋ねている。それは本来、礼拝者にメッカの方向を指し示すものなのだ。私はしばらく方向を考えてから、確かにそれは東を向いていると答えた。するとその男性は、ここでお祈りをしてもいいかと尋ねる。私はしんと静まり返った部屋のなかで、もちろんかまいませんが、身を伏せるとほかの来館者がつまずくおそれがありますので、それさえご遠慮いただければ、と伝える。男性は私に礼を述べ、両手を組み合わせると、壁龕のほうを食い入るように見つめる。私も同じようにしながら、信仰を向けるべき単一の中心点がある（この場合で言えば、実際に緯度と経度で表せる一点がある）というのはどういうものなのだろうかと考える。この男性にとって、この芸術作品は玄関口なのだ。その向こう側に、その人が思い描く神聖なものがある。

規則は規則なので仕方がないが、確かにこのミフラーブというタイル細工の作品には、身を伏せるだけの価値がある。高さ三・三五メートル、重さ二〇四〇キログラムに及ぶこの作品は、一四世紀エスファハーンのイスラム神学校を美しく飾っていたものだが、その当時から一日たりとも古びているようには見えない。主に青、白、青緑のタイルで構成された入り組んだモザイク画は、見る者に衝撃を与えるほどの霊妙さをたたえており、舞い踊るアラビア風唐草模様と、生命力に富んだ書体で書かれたコーランの詩句とがあふれ返った天界のようだ。私はそのなかでも、壁龕のいちばん奥の上部に記された一節に惹きつけられる。そこでは、曲がりくねり、揺れ動き、折り重なるいくつもの線が組み合わさり、植物を思わせる形をつくりあげている。その線そのものも、はいまわるつるや渦を巻く巻きひげを想起させる。ミフラーブのこの部分は、明らかに自然を称えている。自然のリズムや豊かさ、自然の繁茂や密集、自然の永遠の運動や成長を称揚している。

そこから視線を下げ、壁龕全体を見る。尖頭アーチを持つ丸みを帯びたくぼみである。そこでは、自然を模した模様が、イスラム美術の模様のもう一つの基礎的要素である抽象的な幾何学図形と混然一体となっている。一階の売店には、イスラム美術の模様をきわめて数学的に解説した本がある。私は何回も休憩時間をつぶしてそのページをめくり、トムに教えてもらえたらよかったのにと思いながら数学と格闘した。私が理解した範囲でその内容を説明すると、これらの模様の制作者は常に、もっとも単純でもっとも根源的な図形である円から始めるのだという。その円を徐々に分割して、そのなかに暗示される図形を引き出していく。一部の線を消し、一部の線を無限に広がるグリッドの外へ延長・反復することで、無数の模様を生み出していく。その模様はすべて最初の円に由来しており、その円がその単一性において神を象徴している。最終的には、目に見える円の痕跡はまったくなくなるが、こうしてできた作品は、多様性の根底には単一性があることを示している。それがイスラム教の教義なのだ。

私がそこまで思い至るころには、あの男性は祈りを終えて立ち去っていた。私はふと、単一性に心を向ける儀礼へと一日に五回立ち返るというのはどういうものなのだろうかと考え

◇図14─「ミフラーブ」と呼ばれる壁龕。タイル細工の作品。

る。「religion（宗教）」という単語には、「ligature（縛ること）」と同じように、「ligio」という語根が含まれる。これは基本的に「結び直す」ことを意味する。あるコミュニティが考える基本的な真実へと自分の心を立ち返らせるということなのだろう。私は特定の宗教を信仰してはいないが、この結び直す必要性を感じることはよくある。些末な不安を拭い去り、もっと根本的なものと心を通わす必要性である。私は敬虔な礼拝者としてではないが、それでも一人の礼拝者として、この美しいミフラーブを見つめる。

＊

このセクションの常勤管理者であるハダド主任と知り合いになれることも、毎日イスラム美術の展示エリアで働く楽しみの一つと言えるかもしれない。ハダド氏は身長一六五センチメートルと小柄だが、王侯のようなふるまいをする。口にするほとんどの言葉は辛辣でユーモアに富んでいるが、本人がかすかな笑み以上の笑顔を見せることはめったにない。以前、私がこの主任と話をしているところへ来館者がやって来て、ハダド氏の言葉のなまりはどこのものかと尋ねたことがある。すると主任は真顔でこう返答した。「ワシントン・ハイツ（訳注：ニューヨーク市マンハッタン区の地名）です」

私が聞いた話をもとに補足すると、正確には、イラクでしばらく暮らしてからのワシントン・ハイツである。しかもその間に、いくつもの世界的な大都市（ミラノ、ロンドン、イスタンブールなど）に短期滞在している。いまはもちろんニューヨークに住んでおり、夜はイスラム美術史の非常勤講師の仕事をしている。主任は、実際のところニューヨークがあまり好きではないらしい。「アスファルトだらけ。攻撃的な人だらけ。温かみがない。雰囲気がない。歴史感覚がない。古くて意義のあるものはみんな取り壊される」。私がそれに反論し、いわば絶えず再建・再発明していくのがニューヨークの歴史なのではないかと指摘すると、ハダド氏はそれに異議を唱えなかった。「そのとおりだよ。うまい表現だな。でも私はそれが好きじゃないんだ」

そんな毎日だったから、ある朝、ハダド主任の指示でオスマン帝国美術の展示室の持ち場についたときには、先ほど述べたような神学めいたことを考えていたわけではない。私はただ、これまでに訪れたことのない都市について、勉強する機会に恵まれなかった歴史について、ハダド主任のような人物を生み出した世界の豊かな多面性について考えていた。現在では「一」は、驚くべき多様性を持つ「多」ほど人々の関心を引くことはない。ハダド氏が以前イスタンブールについて熱く語るのを聞いていた私は、オスマン帝国について多少なりとも、いやいくらでも知りたいと思っていた。

私は手すりに肘をあずけ、有名な「シモネッティ」絨毯を見下ろす。ほのかなスポットライトに照らされ、水蒸気の立ち昇る色とりどりの池の表面のように魔術的だ。そのときの気分によっては、それ自体が表しているように見えるイメージ豊かな宇宙に思い切って飛び込んでみてもいいかもしれない。だが今日はあいにく、そんな気分ではない。いま目の前に見えるのは、失われた広大な世界の小さなかけらでしかない。私は、この絨毯を踏みつけた無数の足について考える。これは一五〇〇年ごろにカイロでつくられたものだ。最初に所有していたのは、おそらくマムルークたちだろう。

マムルークの歴史は、現代人の頭を混乱させることを目的としていたのではないかと思えるほど混沌としている。マムルークとは、主にトルコ人やチェルケス人、ジョージア人、アブハジア人のエリート奴隷兵士から成る支配階級で、数世紀にわたり中心地のカイロから帝国を支配していた。かつてはアッバース家の君主や首長に忠誠を誓っていたが、一三世紀になると権力を掌握し、奴隷制度を維持しながらも、多くの奴隷が帝国政府の最高位の地位へと登り詰めていった。この絨毯がつくられてまだ二〇年もたっていない一五一七年には、優勢を誇るオスマン帝国に征服されたが、その後もオスマン帝国の家臣としてエジプトの統治を続けた。マムルークが最終的に討伐されたのは一八一一年のことであり、近代まで存在していたことに驚きを禁じえない。

絨毯をじっくり眺めていると、その何万もの編み目や糸が、過去と現在の現実の密度そのものを暗示しているような気がしてくる。細部に底知れないほどの豊かさを宿しながらその四隅から広がった世界が、壮大かつ平凡なあらゆる人間ドラマの舞台となったかのようだ。そう考えると、私がいましがた述べた最小限の歴史的概要など、あまりに不十分なことがわかる。私は「エジプト」という一言で、数千キロメートルに及ぶナイル川沿いの地域や数千年に及ぶ歴史を示そうとしたが、その歴史のあらゆる一瞬一瞬が、限りなく複雑なのだ。この絨毯を見ていると、超越的な疑問に対する抽象的な回答を探求することなど、無駄ではないかと思える。探究すればするほど多くのものが見えてきて、自分がこれまで見てきたものがいかにわずかだったかを思い知らされる。この世界には、融合を拒否する細部があまりに多すぎるような気がしてくる。

セクションMに配属されて三カ月目の終わりごろ、私は早めに持ち場について椅子に腰を下ろした。椅子に座れるなんて、いつもとは違う最高の気分だ。というのも、この展示エリアを設計した人物が、ペルシャの細密画の前に木製の腰掛けを設置しておいてくれたからである。来館者が、これら深みのある繊細な作品をいつまでも見続けることを考慮してのことだろう。私は、一六世紀のスーフィー教団（訳注：イスラム教の神秘主義的宗派）のデルビッシュ（訳注：神秘体験を得ようとする修行者）の絵の前に座る。どこか修道僧を思わせる禁欲的な姿がそこにある。この肖像画は、現在のウズベキスタンにあたる地域で紙に描かれた。モチーフとなった男は、オレンジ色の外套をまとって指ぬきのような形をした特徴的な帽子をかぶり、地面にしゃがんでいる。その視線は、鼻の歪んだ線をたどるように下へ落ちている。その手にある数珠を見ると、このデルビッシュは毎日、神を直接経験しようとする努力を儀式的に繰り返しているのだろう。コーランによれば、神は私たちの頸静脈よりも近くにいるという。スーフィーの信者はこの言葉を文字どおり受け止めようとしている。

私は、芸術作品の前に座るというこの感覚が大好きだ。じっくり時間をかけて、この絵の説明書きを読むと、絵のなかにアラビア語で書かれた文章の翻訳が記されている。

なぜ、私に魂を与えた天に感謝しなければならないのか？　その天が、魂が経験する悲しみのもとを私のなかに生み出したというのに。

私は、神に辛辣な非難を浴びせていることがなかなか信じられず、この文章を二、三度読み返した。この絵画があまりに控えめで崇高なので、デルビッシュの哀れを誘う口調に不意を突かれたのだ。この肖像画は、私を悩ませているこれらの疑問に対して、人間的な表情を示している。憂鬱な表情だ。この男のあからさまな苦悩の原因は何だったのだろう？

私は職場への行き帰りの地下鉄のなかで、スーフィーに関する本を読み始めた。そのなかでもいちばんよかったのが、一三世紀の神学者イブン・アラビーに関する書籍である。私はこの肖像画の人物の世界の見方を多少なりとも理解できることを期待し、苦労しながら読み進めたのだが、そのなかに、イブン・アラビーに関する興味深い一面を見つけた。彼は繰り返し、私たちは知っている以上のことを理解していると主張している。私たちが追い求めるべきは直接的な知識であり、私たちはそれを収集する適切な手段を持っているのだ、と。そ

◆図15—16世紀のスーフィー教団における「デルビッシュ」の絵画に寄せて。

のメッセージの要旨は、ウォルト・ホイットマンの詩と同じように、「そう、すべては自分次第だ」ということにあるらしい。

イブン・アラビーの考えでは、人間は二つの異なる見方を備えているという。第一に、私たちの心の中心には、真実を認識できるようきめ細かく調整された意識がある。つまり、真実（あるいは神）は隠されておらず近くにあると思えるような、この世界の美しさや崇高さを何の媒介もなく理解できる能力である。これは、私がミフラーブを見たときに経験した見方である。

だが私たちには、論理的に思考する頭脳もある。この頭脳を通じて私たちは、自分がこの世界をほとんど見ていないこと、その究極の真実（あるいはその多面的な真実）を理解する手段をほとんど持っていないことを知る。こうしてこの世界を見ると、その真実は遠くに隠れており、まるで理解できないように感じられる。これは、私が「シモネッティ」絨毯を見たときに経験した見方である。

イブン・アラビーは、これら二つの見方を調和させる方法を見つけられず、人間の顔には目が二つあるという比喩を提示する。その主張するところによれば、私たちには両方の見方が必要であり、心臓の鼓動とともに一方から他方へ、視線の焦点を切り替えることができるという。私はこの一節を読み、ふと顔を上げてみた。私はそのとき、マンハッタン行きの列車に乗っていた。ブルックリンの地下から地上へ出て、がたごとと音を立てながら橋を渡っている。日曜の朝の通勤電車に乗る周囲の乗客たちは、それぞれ異なる目で、窓の外を流れていくこの世界を見つめている。うつろな目、夢見心地な目、鋭い目、眠そうな目、閉じた目。それから四〇分後、私は仕事に入り、デルビッシュの近くに配置してもらえるようハダド主任にお願いした。そして再び、心痛のあまりなぜ魂を与えられたのかと悩む男を見つめる。もちろん、自身を見つめたり自身について考えたり感じたりすることなく、ひらすら祈りを唱える精神的な自動人形になるほうが楽だろう。だがこのデルビッシュは、その道を選ばなかった。

私が思うにこのデルビッシュは、自分の認識装置を限界まで稼働させたのだろう。そんなときには、苦しみや消耗を感じることもある。だがなぜか私は、この男はやがてエネルギーを回復し、再び信仰へ向けた努力を始めるのだろうと確信できた。一方の目を使えば、この一六世紀の神秘的宗派の信者が身近に感じられる。しかし心臓が一打ちすれば、この男が遠くなじみのない存在になる。それでもまた心臓が一打ちすれば、この絵が私の目の前にあるように、この男がすぐそばにいる。

10……ベテラン

安くておいしい食べ物やこだわりのない冷たい飲み物とは無縁なマンハッタンのアッパー・イーストサイド（訳注：メトロポリタン美術館のすぐ東側に広がる高級住宅街）に、どういうわけか、カーロウ・イーストというつつましやかなパブがある。ありふれたアイルランドの国旗を外に掲げた地下の店には、ありふれた陽気な愛煙家たちが身を寄せ合っている。なかは、のどが渇いたときに誰もが何度も立ち寄ったことのあるような、あまりいいにおいのしないあの暗いバーと同じである。

私たちがそこでアルコールを飲むのは、主に日曜日の夜だ。美術館は月曜が休館日なので、大半の警備員は翌日が休みであり、そうでない警備員も翌日はさほど仕事に精を出す必要もないからだ。「でもさ、あの噂聞いた？」。女性のレスター氏が、サービスタイムの割引ビールをすりながら警備員仲間に問いかける。

「近いうちに、週七日開館することになるんだって。ひどい話！　技師たちがものを移動させないといけないときには、私たちがその展示室の立入禁止区域にロープを張ることになるんだろうな。私、月曜日に規定外勤務をするのが好きだったの。装備員が彫像を持ち上げたりするのを見ているとはらはらしてさ」

「月曜日に恋人を館内に連れてきたことある？」とロニーが言葉を挟む。「あれ喜んでもらえるよな。誰だって休館日の館内に入れたらうれしいから。警備員とつきあう特典みたいなもんだよ」

午後六時。この時間には、若い警備員や子どものいない警備員、少々問題を抱えた警備員など、いつも飲みに集まる常連だけでなく、家族持ちの警備員もいる。彼らは、「一杯だけ」と言ってここに立ち寄るが、その「一杯だけ」はたいてい「二杯」になることを誰もが知っている。

テレンスやジョセフはこの後者に含まれる。今夜は私が誘った。彼らは少々遅れてやって来ると（着替えが遅いため）、私がいるカウンターにまっすぐやって来たので、一杯目のミラー・ハイライフは私がおごることにする。つまり彼らは、そのあとで自分の支払い分を飲むため、都合三杯飲むことになる。テレビではスポーツのハイライト番組が放映されている。私たちは、以前一緒に観戦しに行ったブルックリン・ネッツの試合を振り返る。あのときは、上のほうの安い席をとったが、そこから見ているとジョセフがひどいめまいを起こし、まるでジェットコースターで縦回転をしているような気分になった。そこでもっと低い場所の席に代えてもらおうと、思いやりのある係員の階級意識に訴えようとこんなことを言った。「おれたち三人は警備員なんだ。きみたちと同じ仲間さ！」

テレビでは野球の映像が流れていたが、テレンスがふと、バットを使うもう一つの球技であるクリケットの最新ニュースを思い出す。テレンスが「ウィンディーズ」と呼ぶ西インド諸島のチームが、「午前中に9ウィケット」を獲得したとか、そういった話である。だがジョセフは、自分がそれまでに何度も口にしていた話へと話題を戻し、そこから容易に離れようとしない。「どうしてあのチームの名前は、ニューヨーク・ネッツじゃなくてブルックリン・ネッツなんだ？」と、腹立ちと失望の混じった声で言う。

「パトリック、きみはシカゴとブルックリン育ち。テレンス、きみはガイアナとクイーンズ育ち、おれはトーゴとブロンクス育ち。ネッツが優勝したら、ブルックリンのフラットブッシュ街じゃなくて、ブロードウェイ（あの「英雄たちの峡谷」！）をパレードすべきだよ。おれたちはみんなニューヨーク育ちなんだから！」

一杯目を飲み終えると、スツールに座ったまま後ろを振り返り、もっと大勢のグループの会話に加わる。そこには、どちらも常連であるロニーとレスター氏、制服を脱いだ姿が見られてうれしい二人の主任、一緒にこのパブまでの道のりを一〇分かけて歩いてきた三人の友人がいる。ハワイ州出身のルーシー、ニューヨーク州ウエストチェスター郡出身のブレイク、コネチカット州出身のサイモンである。

ブレイクが仕事の話で場を盛り上げる。「聞いてくれよ。セクションBのフランス絵画の展示室にいたときのことさ。あの『サビニの女たちの掠奪』の絵があるところ。おれが見てると、子どもが鉛筆の先についた消しゴムで絵を突いたんだ。おいおい、と思ったね。おれは子どもをその場に立たせたまま絵を調べた。すると、その突いた部分に小さなへこみがあるような、そんな気がした。だからすぐに技師を呼んだよ。技師はすぐに来た。ここからがすごいところなんだけど、その技師はしばらく、まるで日焼け止めでもすり込むみたいに、けっこう強めにそのあたり全体を指でなでていた。そして、やがて振り返るとこう言った。『いや、へこみがあることはあるが、このへこみは何層にも塗ったニスの下にある。新しくできたものじゃない』」

そこへルーシーが割り込んできて、次の話を始める。展示室の場所を番号で尋ねてくる来館者の話だ。八一三、四三二、七三一、六二二……。彼女がおもしろおかしく、次第に声を小さくしながら番号を連ねていくと、私たちはいっせいに不満げなうなり声をあげた。メトロポリタン美術館は最近、デザインを一新したマップを発行した。それには、ベテランの警備員が覚えたいとも思わない、展示室の番号という思いがけない情報が記載されている。そのため警備員は、「何が見たいのか言ってもらえませんか」という言葉を絶えず繰り返すはめになった。「ミイラですか、スイレンですか、それともメアリー・カサット？　名前を言ってもらえれば案内できますから」

私たちはアルコールを飲みながら、長期にわたり館長を務めたフィリップ・ド・モンテベロが引退したのちに徐々に行なわれつつある美術館改革の話を始める。それは、自分たちには企業的で非人間的なものに感じられる改革だった。「フィリー・チーズステーキに対してどんな不満があるにせよ」とサイモンが、「フィリップ」を人気のサンドイッチの名称になぞらえながら口を挟む。「あの人はおれたちに番号の数え方を覚えさせようとはしなかったよな」。これは、現在の館長に対するみごとな皮肉だったが、私たちはむしろ、モンテベロという貴族的な名前の人物に「フィリー・チーズステーキ」というあだ名をつけた彼のセンスに笑い転げた。

「うまいね」とテレンスが言う。「太ったやつを『ちびっこ』って呼ぶみたいでさ」

仕事の話をしていると、学校の先生が怪獣のような子どものことを休憩室で少々大げさに愚痴っているような雰囲気になることが多い。私たちの場合は、子どもたちではなく、美術館にやって来る一般大衆である。私にも、その手のとっておきの話があった。「三班でライツマンのコレクションを警備してたときのことだけど」と私が話しだすと、それはフランスの年代物の調度品が展示されているエリアだと誰もが理解する。

「もうすぐ閉館する時間だというときに、その展示室に男が一人いた。裕福そうな男だった。

かっこいい感じのね。髪を肩まで伸ばしていて、ぴっちりした高価なスーツを着て、同じようにめかし込んだ幼い息子を連れている。そこでぼくは『すみません。もう五時一五分なので、間もなく閉館します』と言ったんだ。でもその男は、こちらを振り向きもせず、まるで時間を知らせるバスケットボール選手のように、片手を上に挙げてね。『五分』とそれだけ言うんだ。それだけ。疑問形でもない。

だからぼくは言ったよ。『いや、そういうわけにはいかないんですけど、一分だけ差し上げます』。その間に、ほかの二つの展示室にいた来館者を帰らせた。みんな何の問題もなく、ぼくの言うことを聞いてくれたよ。そのあとで『五分』氏のところに戻ってきてみると、何やらにやにやとした気取った笑みを浮かべている。おもしろがっているんだ。誰あろうこのおれにおまえごときがあれこれ命令するなんてお笑い草だと言わんばかりの感じだった。ぼくはその男の人間性に訴えて、『お客さん、お願いしますよ』と言うんだけど、男は一向に動こうとしない。当然ほかの警備員も、どうしたのかとその展示室をのぞき込んでくる。間もなくそのセクションを担当する一六人の警備員全員がそこに集まり、その男に向けてかかつと靴を鳴らしながら、時計を見つめる状態が続いた。すると、時間を愛するこの『フランクリン』氏は突然、『閉館！　閉館！　閉館！　閉館！　閉館！　閉館！　閉館！』とうなり声をあげた。あの言い方、わかるだろ？　実際には攻撃的なんだけど、うんざりしているだけのようにも聞こえるからとがめることもできない。あれには文句も言えないよ。最終的にはその男もあきらめたんだけど、帰りぎわに捨てゼリフを残さずにはいられなかったんだろうな。息子のほうを向いてこう言ったんだ。『ちっぽけな人間、ちっぽけな権力……これが人生ってやつさ』ってね」

私は笑いを期待していたのだが、笑いは起きなかった。この話は強烈すぎた。誰もが重々しく首を振り、同じような嫌な経験を思い出しては「やってらんない……」などとつぶやいている。私たちには、靴の底についたガムのように扱われた経験が誰にでもある。ときどき出会うばかなやつから、さまざまな言葉で、おまえはただの警備員だろと言われる。そんな経験をせずに警備員として働くことなどできない。気分がいいときには、そんな言葉も侮辱とは感じない。だが気分が落ち込んでいるときには、そんなやつらが言うように、自分が無能でちっぽけな存在だと思えてしまう。それでも最近は、少なくともこういうアルコールの席で、そいつらを悪者に仕立ててあげられる。

七時をまわると、この集団がまばらになり始める。テレンスやジョセフらが、家族のもとへ帰ってしまうと、その夜の活気を維持できるかどうかは、残った私たち次第となる。ジュークボックスのそばにある人目につかないテーブルから、ルーシーが手を振って私を呼んでくれたので、私はこの騒々しいじめじめしたパブのなかでも居心地のいい一画にいる友人たちのなかへと合流する。そこでしばらく一人で飲んでいたが、似たような問題を抱える同年代の若者たちが、私を一人にさせてはおかなかった。私も含め、彼らは二〇代後半から三〇代前半で、友人に見栄を張るのをやめ、友人の支援に頼り始める年齢に入っていた。それは微妙な年代だった。成人期の見習い段階が終わり、正真正銘の成人期が不気味に迫りつつある。その段階でもう一度、今度こそは本気で、この人生で何をすべきかを考えなければならない。私たち四人のなかで、美術館の警備員になりたくてなった変わり者は私しかいない。サイモンは教師になりたがっていた。ブレイクは地理学を専攻していた。ルーシーは詩の修士号を取得している。だが今後について、さほど確かな計画がある者はそのテーブルに一人もいない。いよいよそういう年齢になったこと、これが人生であることが次第に明らかになりつつあるというのに。

夜が更け、アルコールが効いてくるにつれて、私たちはばかばかしいことを言わなくなり、まじめになり、心を開き、弱みを見せるようになった。外側からはどう見えていたかわからないが、内側から見れば気持ちのいい会話だった。それからは日曜日ごとにこのメンバーで、親の死について、健康の問題について、精神衛生上の問題について話をすることになる。ルーシーの詩が文芸雑誌に掲載されると祝杯をあげ、誰もが参加できるステージ開放イベントでブレイクがパフォーマンスを披露する前には景気づけに酒を飲んだ。サイモンとルーシーはそんなある一席で恋に落ち、その後また友人同士に戻ったあとも誠実なつきあいを続けた。

そんなある日、サイモンがある知らせを伝えてきた。ある女性と出会い、その女性と一緒にユタ州へ引っ越すのだという。やがて彼はそこで郵便配達の仕事を見つけ、二匹の犬と山のなかで暮らすことになる。いい話だ。いまもあの騒々しすぎるパブの奥で、そんないい話が交わされている。

＊

イスラム美術の展示エリアの警備を担当して三カ月が過ぎると、そのセクションの運営も軌道に乗ったため、ホームセクションを移動する機会が与えられた。セクションMの常勤警備員はみな同じ選択を迫られ、しばらくは時間があるたびに、さまざまな選択肢についてあれこれ話をした。たとえば、ある人がこう口にする。セクションRにするかな？（保安部の区分によれば、Rには現代美術、アフリカ美術、オセアニア美術、古代アメリカ美術が含まれ、季節によっては屋上の彫刻庭園も担当する）。するとほかの人がこう指摘する。でも、ロッカー室からずいぶん遠いよ……するとまた別の人が反論する。そうだけど、カーペットが敷いてあるところがたくさんあるし……ああ、でもカンディンスキーの絵を見て、こんなのおれの幼い甥っ子でも描けるよとか言うやつらばかりを目にすることになるしな……そうだとしてもいいじゃないか、おもしろいよ……。

わかったよ、じゃあセクションF（アジア美術）はどうだ？　そこが際立って静かなことには誰もが同意する。私たちベテラン警備員は、照明の力を知っている。セクションFは暗闇とスポットライトをうまく利用しているため、来館者たちは眠っている彫像を起こさないよう心配しているかのように、ささやき声でしか話をしない。だが、それほどの静寂が好きかどうかとなると、警備員の間でも意見が分かれる。なかには、一時間ごとに小学生と話をしているほうがいいという警備員もいる（そういう人は、エジプト美術の展示エリアを担当するといい）。また、セクションを定期的に管理している主任の愛想のよさや公平さについても、警備員の間で大きな意見の相違がある。

以前の私は、こうした好みを抱くことを意識的に避けていた。あえて心を閉ざしていたからだ。この班やあのセクション、この主任やあの休憩スケジュールのよしあしといったことを考えていたら、心を閉ざしてなどいられなかったことだろう。私はただ、ボブに指定された場所に向かい、そこでの静かな一日に身を委ねていた。だが、そんな日々もやがて終わった。もはや純真な目をした新人のような行動はやめ、もう少し賢くなって違いを識別する感覚を楽しみたいと思うようになった。いまでは仕事の話をするのが好きになり、ときには悪口を言ったり不満をもらしたりもしていた。ゆっくりとだが確実に、新人時代の自分が知ったら驚いて失望してしまうかもしれないような思考習慣を身につけていたのだ。

最終的に私は、自分のホームセクションとしてセクションGを選択することに決めた（アメリカ美術、楽器、武器や鎧の展示エリアが含まれる）。だがそれは、決して高尚な理由からではない。まず、トイレがたくさんある。それに、ロッカー室のすぐ上にある。また、最近このセクションを日常的に管理しているシン主任は、班のメンバーを自分たちに選ばせてくれる。そして何より、いまはなじみのない領域や疑問を探索したい気分ではなく、むしろ仲間との交流を望んでいる（ジョセフもテレンスもこのセクションの担当だった）。さらには、自分もアメリカ人であり、アメリカ美術の展示エリアにありがちなあの少々打ち解けた雰囲気も気にならない。

この展示エリアでいちばん有名な絵と言えば、やや格式張った『デラウェア川を渡るワシントン』なのだが、その絵を格式張った態度で眺める者など一人もいない。来館者はそれを見て大喜びするが、それに威圧されるようなことはない。その絵のところまでまっすぐ歩いてきて、まるでそれが、注目されることだけを意図した道端の看板ででもあるかのように、「おいおい！　こんなもの幹線道路のガード下には入らないよ！」みたいなことを言う。私がその絵の前の持ち場に立っていると（そんな機会がよくある）、次のような光景をよく目にする。こちらに向かう通路の向こうのほうで、来館者がワシントンの姿を見つける。すると、ジョン・シングルトン・コプリーのみごとな肖像画などには目もくれず、カメラや携帯電話を取り出しながら、走るような足取りで私のほうにやって来る。ある父親は、ビール腹を押さえてワシントンと同じポーズをとり、周囲の来館者を笑わせている。

私は来館者の質問に答え、ええ、この絵は本物です、いいえ、その小さなプレートに複製だとは書いてないでしょう、などと説明する（そのプレートに額縁は複製だと書かれているが、いずれにせよ有名な絵画のそばに「複製」という言葉を記すのはやめたほうがいい)。あるいは、本当に手漕ぎの舟で戦場に馬を運べたのかどうかを来館者と議論することもあれば、この画家が描いたアメリカ国旗は実際のところ、この絵の題材になった独立戦争のころには存在しなかったという知ったかぶり屋の話に耳を傾けることもある。この絵によりアメリカ美術界における究極の一発屋として名を残すことになった画家の名前(エマヌエル・ロイッェ)の発音を尋ねてくる人もいる。私はそんな姿を見たり、そんな来館者と話をしたりするのが好きだ。来館者に対してなれなれしい態度になっても、一風変わった関心を抱いても、あまりそれを直そうとは思わない。アメリカ美術の展示エリアは、そのような態度や関心にふさわしい場所だという気がする。

メインとなる絵画の展示室のすぐ下には、この美術館全体のなかでもひときわ雰囲気が違う、雑多な品々から成る中二階がある。そこはいわば「見える保管庫」であり、スペースの限られた展示室には置けない何万もの品々が収納されている。情報を記したプレートなどはあまりなく、来館者が通れる長く狭い通路は、過去四〇〇年にわたるアメリカの品々を収納した背の高いガラスケースに挟まれている。

たとえば、テーブルであれば、食卓やティーテーブル、作業台、トランプ用テーブル、片側または両側が折り畳めるドロップリーフ・テーブル、天板を垂直に倒せるティルトトップ・テーブル、天板が壁に固定されたコンソールテーブル、架台式テーブル、チェンバーテーブルなどがある。また時計であれば、縦長時計や棚置き時計、掛け時計、どんぐり形時計、灯台形時計、バンジョー形時計、リラ形時計などがある。この中二階は、来館者がその品々を見て「バーブおばさんのところにあるのに似てる」と言える、この美術館では数少ないエリアの一つである。神聖化された傑作群から距離を置き、鏡や角砂糖ばさみ、消防士が使った革製のヘルメットや盾との交流を楽しめる場所なのだ。

この中二階にあるものも「芸術作品」ではあるが、まるで仰々しく扱われていないところがおもしろい。彫像は、中学校のダンスに参加する男子や女子のように、不自然なほど狭い場所に押し込まれている。何百枚もの絵画が縦にも横にもぎっしり並べられ、それらが収納された長いガラスケースのなかで奇妙なモザイク画を生み出している。これらのケースの間を歩いていると、無数に描かれた目に見つめられているような気になる。ジョブ・ペリットやトーマス・ブルースター・クーリッジ夫人、ヘンリー・ラ・トゥーレット・デ・グルート氏など、名声を残すには至らなかったかつてのアメリカ人たちの目である。これらの肖像画のモデルになった人々は一般的に、できるかぎり洗練された印象を与えようとしてはいるが、彼らが望んでいたよりも虚飾のないあっさりとした様式で描かれている。初期のアメリカの画家たちは、ヨーロッパの上位文化を羨望していたが、その洗練された趣味を模倣できるほどの腕前はなかったのだろう（それもまた彼らの魅力なのだが）。

この屋根裏部屋のような場所を見ていると当然のことながら、これらを収集した経緯について好奇心が湧いてくる。ある日私は、この美術館が最初期に獲得したと思われる絵画を見つけた。その手がかりになったのが受入番号（物品ラベルのいちばん下に記されたシリアルコードのような数字）である。一般的にこの番号は、「2008.11.413」のように長い。だが私は、「74.3」という短い番号を見つけた。これは、一八七四年にコレクションに加わったことを意味している。メトロポリタン美術館が現在の場所に永住の地を見つける六年前のことである。その番号がついた絵画は、この美術館の創設者の一人、ジョン・フレデリック・ケンセットが描いた、地味だが美しい風景画だった。

ケンセットは、この国ではまだ風景画家が職業として認められていない時代に生まれ育ったため、彫刻家として修業を積み、紙幣の印刷に使う原版を彫る仕事についた。だが存命中にニューヨークが飛躍的な成長を遂げ、ハドソンリバー派の画家たちと交流するようになるにつれ、アメリカ初の大規模な美術館を創設する取り組みに参加するようになった。

だが、最初はさほど大規模なものではなかった。ルーヴルなどの美術館は、王室のコレクションが元になっている。だがメトロポリタン美術館のコレクションは、一般市民から集めるほかない。同美術館の最初の評議員を務めた商人や資本家、政治改革論者や芸術家たちである。最初の数年間は、展示する価値のある作品を集めるのに苦労し、贈与や遺贈などで思いがけず手に入れた作品、計画よりも偶然により獲得した作品に頼るしかなかった。私が調べたところ、ケンセットの風景画も、この画家がロングアイランド湾で女性を救おうとして溺死したのちに、弟から寄贈されたものだった。これらの風景画数点は、「最後の夏の作品」と呼ばれている。

こうしてラベルのいちばん下を見る癖がつくと、至るところで同じ二つの単語に出くわすことに気づいた。「ロジャース基金（Rogers Fund）」である。メトロポリタン美術館は贈与や遺贈、購入を通じて芸術作品を獲得していったが、どうやら、誰よりもその購入に貢献したのが、ジェイコブ・S・ロジャースという人物だったらしい。

機関車の製造会社を経営していたロジャースは、トーマス・ジェファーソンがまだ生きていた一八二四年に生まれ、ルイ・アームストロングが生まれる一カ月前に死亡した（アメリカの歴史はそれほど短い）。私が中二階のパソコンを使って検索してみたところ、アメリカ美術の展示エリアだけでも、一五〇〇点以上の品に彼の名前が記されている。幌馬車の修理に使われた一八世紀のジャッキ？ それもロジャース基金。ティファニーが一八七九年につくった銀のトレイ？ それもロジャース基金。

だがロジャースは生前、メトロポリタン美術館とはほとんどつながりのない存在であり、芸術に特別な関心を抱いていたわけでもなかった。（当人の希望により）葬儀もなくロジャースの遺書が読まれたときには、そこに何が書かれているか知っていた者は一人もいなかった。この短気な変わり者は、自分にしかわからない理由により、自分の家族を見限り（数名のおいとめいにはわずかな遺産を与えた）、五〇〇〇万ドルもの財産をメトロポリタン美術館に遺贈した。これは、当時としては驚異的な額である。こうしてメトロポリタン美術館は、一夜にして莫大な寄付金を手に入れた。それはいまも多額の利息を生み出し続けている。要するに、すべてがロジャースの恨みや気まぐれのおかげなのだ。もちろん、煙を吐きながら大陸を横断していた鋼鉄製の機関車のおかげでもある。

収集欲は、美術館どころか個人をもとりこにする。メトロポリタン美術館の第四代理事長J・P・モルガンは、その財産の大半を投じて貴重な写本や芸術作品を収集した。そのうちのおよそ七〇〇〇点が、いまもメトロポリタン美術館にある。ジョン・D・ロックフェラーがモルガンの遺書朗読の席で、こんな皮肉を言ったほどだ。「考えてみれば、彼は大金持ちでもなかった！」。また、それ以上にめったにないことだが、実際にはさほど裕福でもない人物からコレクションを寄贈されることもある。そんなコレクションのなかでも私のいちばんのお気に入りが、この中二階にある。

ある平日の午後、私はジェファーソン・R・バーディックのコレクションが展示されている部屋に配置された。シン主任もそばにいる。穏やかな話し方をする主任はもはや七〇代半ばだが、退職する気配はまったくない。メトロポリタン美術館で四〇年も過ごしてきたため、沈黙にこのうえない心地よさを感じている。いまも数分にわたり二人で腕組みして立っているが、一言も口をきかない。

とうとう私がしびれを切らして口を開く。「シンさんは野球はお好きですか？」。私たちのまわりには、色とりどりの長方形の厚紙に印刷された野球選手の似顔絵がたくさん並んでいる。それが格子状に並べられて額装されているのである。ウィリー・メイズやハンク・アーロン、ホーナス・ワグナーはおろか、キング・ケリーの野球カードまである。キング・ケリーとは、一八八六年に一万ドルという破格の契約金でボストン・ビーンイーターズに移籍し、「一万ドルのケリー」と呼ばれた選手である。

私がそう尋ねると、シン氏は心からうれしそうに顔をほころばせながら、断固たる口調で言う。「いや、おれはクリケットが好きでね」

「これを見てみな」。ガイアナ出身の主任が、一九世紀の野球カードが展示されているところへ私を連れていく。当時は、熟練の腕できれいに重ね刷りされた多色リトグラフが、巻きたばこや刻みたばこの包みのなかに押し込まれていた。主任は、中堅手「ジャック・マギー」のカードを指差す。その選手は、まるで雨粒を受け止めるように、両手をおわんの形に丸めている。シン氏が言う。「グローブなしだ！　クリケットはいまでもそうだよ。どうだい？　わかるかな？　空中に飛んでいるボールをこれだけでつかみ取るんだ」。そう言いながら、しわだらけだが血色のいい手を私に見せる。私はテレンスからクリケットのことを多少教えてもらってはいるが、シン氏の話についていけるほどの知識がない。私が何も知らないことを伝えると、主任はすぐさま打撃の構えや投球の方法を教えてくれる。

「ほかにも野球が好きじゃなかった人がいますよ。わかりますか？」と私が尋ねる。今度は私の番だ。「ジェファーソン・バーディックですよ！　野球の殿堂があるクーパーズタウンを除けば、この美術館には三万枚という野球カードの最大のコレクションがありますけど、それは、試合を一度も見に行ったことのないシラキュースの電気技師のおかげなんです。バーディックは野球には興味がなかった。興味があったのはカードなんです。絵葉書とか、折り込み広告とか、メニューとか、バレンタインカードとか……彼はそんなはかないものを集めていたんですが、それぞれのカードに一ドル以上払うことはなかった。いまでは数千ドルもの価値があるカードもあるのに（ホーナス・ワグナーのカードは数百万ドルもする）。バーディックはこうして二五万点以上のアイテムを集めると、一九四七年にメトロポリタン美術館を訪れた。そしてスケッチ・版画部門に入り、その目録の作成に晩年の生涯を捧げたんだそうです」

するとと、いまだ記憶に残るクリケット選手を演じていたシン氏が言う。

「バーディックというのはおもしろい人間だったようだな。いまなら一流の警備員になれただろうに」

＊

最近のシン氏はよく、私を楽器の展示室に配置する。そこには、多くの来館者を驚かせるだけでなく、一部の来館者を悲しませるコレクションがある。私はその日、クラシックギターの名手アンドレス・セゴビアが「現代最高のギター」と呼んだギターのそばに立っていた。するとある来館者が、びっくりしたように私のほうを向いて言う。「これ読みました?」。そして、まるで鎖に縛られたキングコングでも見るようにその楽器を見る。「どうしてケースのなかに閉じ込めておくんです? これはいったいどういうことです?」

話を聞いてみると、その男性は退職するまで高校のジャズ楽団を指導しており、自身もトロンボーンを吹きながら「近所を演奏してまわっていた」という。私は、自分の高校の楽団を指導していた先生も並外れた才能を持っていたことを思い出し、あなたならここにある楽器(と言いながら展示エリア全体を身ぶりで示す)をいくつ弾けるかと尋ねてみた。するとその男性は言う。「下手でもいいのかな? それなら全部弾けるかも。しばらく触らせてもらえれば」

その男性が立ち去ったあと、私はこれほど用心深くない美術館を想像してみる。自由にガラスケースを開けて楽器に触れることのできる、音楽的才能に恵まれた人物を常駐させておく美術館である(そんな人はこの世界に無数にいる)。この人物は、来館者の目の前で来る日も来る日も、ペルシャのケマンチェや日本の琴、スー族が求愛に使う笛、イタリアのチェンバロなどを独学できる。そんな展示を行なえば、大人気を博するに違いない。来館者は、自分たちがまず触れられない工芸品が使用されているのを見るのが大好きだ。熱意に満ちた人が辛抱強く、これらの楽器に命を吹き込むところを見れば、きわめて心豊かな体験になるだろう。だが、そんな想像をしているとすぐに、まず起きそうもない無数の事態を心配して反対する学芸員や管理員、保険査定員の声が聞こえてくる。だがどうだろう？　あなたは、貴重なストラディヴァリウスに一〇〇パーセント何も起きないことを望むだろうか？　それとも、そのストラディヴァリウスで音楽が紡がれることを望むだろうか？　両方を選ぶことはできない。

それはともかく、この展示エリアには関心を引くものがたくさんある。幸運にもそれが、隣のエリアにあるアメリカ美術のコレクションの欠落部分を埋めてくれている。そのなかでも私のお気に入りは、ナイアガラの滝の近くに暮らすイロコイ族が、カミツキガメの骨格を利用してつくったガラガラである。見て驚いたことに、その取っ手がカメの頭蓋骨でできているうえに、甲羅がキャッチャーミットほどの大きさがある。だが、そのガラガラについて考慮すべきは、楽器そのものの特性よりもむしろ、神聖な儀式の一環として、それでリズムを刻みながら（それで時の流れを遅らせたり速めたりゆがめたりしながら）踊る踊り子との一体感である。私にはそれが、陽気なものにもひどく真剣なものにも思える。

ガラガラのなかは空洞になっていて、そこにサクランボの種が入っている。構造的には幼児のガラガラと何ら変わりはない。しかしそれを言うなら、ギターも振動する弦を張った木製の箱でしかない。それでもそのガラガラは、有名なラテン語の言葉「メメント・モリ（死を忘れるな）」を想起させる。それを見ていると、つくり手がカメの体を切り開き、その柔らかな内臓をかき出している様子が思い浮かぶからだ。変な考え方かもしれないが、楽器のこうした側面も意味があるような気がする。死が間近に迫っている。だから思うがままにその楽器を鳴らせ。

最近はアメリカについて考えることが多く、典型的なアメリカの楽器であるバンジョーの物語にも心を惹かれる。驚くべきことにメトロポリタン美術館には、一八五〇年にジョージア州の黒人音楽家がつくったという自家製のバンジョーがある（ただし、それをつくった職人の名前は残されていない）。このうえなく質素なつくりだが、蒸気で曲げた木製のリムにヤギの皮をぴんと張った胴といい、クルミ材を削ったフレットのないネックといい、木製のチューニングペグのついたヘッドといい、どこを見てもすばらしい。正しい音を出せる状態を維持するのは本当に大変だっただろうが、誰かがこの楽器を完璧な状態で保管しておいてくれたらしい。おそらくこのバンジョーをつくった職人は、自分でこれを演奏し、辛い人生においては何よりも必要となる憂さ晴らしをしていたのだろう。それほど愛されていたような姿をしている。

私は観覧中の来館者を止め、『デラウェア川を渡るワシントン』と同じようにこのバンジョーと一緒に写真を撮ってはどうかと勧めたいぐらいだ。それは、アメリカにおける音楽づくりを完璧に象徴しているように見える。もっとも豊かでもっとも優れたアメリカ美術の形と言えるかもしれない。最初期のバンジョーは西インド諸島でひょうたんを使ってつくられたというが、それを生み出すヒントになった楽器もすぐ近くに並んでいる。アフリカのリュートやハープ、リラ、ツィター、ヨーロッパのリュートやギターなどである。

地下鉄の八六丁目駅のプラットホームにいる大道芸人のおかげで、私はこの展示室で、セネガルのコラの音色を思い浮かべながら、その風変わりな楽器の形を仔細に検分することもできる。二一本の弦を備え、ひょうたんとヤギの皮でつくられた胴は、太った男の腹のように大きく、枕のように柔らかそうだ。その後、私はもう一度あの小ぶりのバンジョーを見る。アフリカの伝統からの派生物であり、ささやかながら私もその一翼を担っているアメリカの伝統の先駆でもあるバンジョー。私は小さいころ、おじのデヴィッドがキャンプファイヤーのそばでブルースやブルーグラス、労働者の歌やカウボーイの歌を演奏している間、照明代わりに懐中電灯をあてる仕事をしていたことがある。そのおじはいま病気を患っているが、今度家族の集まりがあったときには、私もそのへぼな弟子として、火明かりのもとでギターを弾こうと思う。

*

セクションGの最後の一画に展示されている武器や鎧には、楽器と共通点がある。それは、見ることではなく、使うことを目的としていたという点だ。ただし、武器や鎧に関しては、使わないに越したことはないのかもしれない。子どもたちが言う「輝ける鎧の騎士」の間に配置されると、私はときどき、馬の模型に乗ったこのうつろな男たちのことを考えて怖くなる。確かに、鋼鉄の装具に施された食刻や浮き彫り、青焼なましや銀めっきの職人技には、目を見張るものがある。それに、馬上槍試合のルールや、あれこれの装具の重さを尋ねられたりするのは楽しくもある。だが、それらの鎧をよく見るようになるにつれ、どうしてもその鎧が人格を持った存在に思えてしまう。しかもその人格の多くは、悪夢のようなものばかりだ。

中世の騎士が馬上槍試合の際に使った一般的なかぶとは、突き出た巨大な下あごと、スリットのような細い目を備えた、鬼のような生き物を想起させる。それを身につけた人間が動いている様を想像すると、かつてのクーロスのような肉体をできるかぎり戦車のような形に近づけた、愚鈍でのろまな殺戮機械が浮かんでくる。なかでもとりわけ残忍そうなのが、ジャイルズ卿という人物のかぶとである。有名な一五二〇年の「金襴《きんらん》の陣」で開催された徒歩戦闘試合（集団で敵を殴り倒す競技）に参加した人物だという。このかぶとは余計な装飾がなく、確認できる人間的な特徴を一切備えていない。前が見え、呼吸ができるように、格子上に小さな穴が開いているだけだ（これで前が見えるかどうか、呼吸ができるかどうかも怪しい）。だが、そのかぶとの何がいちばん怖ろしいかと言えば、そこにごまかしがひとかけらもないところだ。それは、敵の頭をつぶしに行く自分の頭を守るためにつくられた、重金属製の大きな中空の球体でしかない。

◇図16—セクションGのさまざまな展示物たち。

だがこれら鋼鉄製の装具は、ある時点で姿を消した。一九四四年に私の祖父がノルマンディの海岸に上陸したときには、綿の服を着ていた。それは、人間が暴力的でなくなったからではなく、武器の攻撃力が鎧の防御力を大幅に上まわるようになり、数世紀に及ぶ防御力の発展が無意味になってしまったからだ。ある意味ではこれは、それまで以上に怖ろしい事態だと言える。

この変化がどのように展開していったのかを理解しようと、私はこの展示エリアのいちばん端まで歩いていって銃を眺める。どうやら一七世紀の後半には火器の威力が増し、もはや『オズの魔法使い』のブリキの男のような装具を身にまとっても意味がなくなってしまったようだ。弾丸は人間をハチの巣にできる。それでも一九世紀に入るまで、銃を発砲するのに必要な手順は、原始的な銃が発明された当時とあまり変わりはなかった。発砲する際には、火薬の量を量り、それを銃身に流し込み、その上に球を落とし、込め矢でそれらを押し込め、火皿に点火用の火薬を盛り、火打石を調整して、ようやく発砲できる。しかもこのすべてを毎回繰り返さなければならない。これは、より近代的な暴力形態には不向きだった。私はこの銃の改良の軌跡をたどるため、アメリカの武器の展示室へと足を運ぶ。

武器・鎧の展示エリアにある数少ないアメリカの展示品を見ると、コルト社製の回転式連発拳銃（リボルバー）一六丁が一つのケースに収められている。そこには、これほど小さな空間なのに、この国の暴力の歴史が十分に反映されている。私は、コルト社の最初期の銃を見る。一八三八年に製作された優美な小型の武器だが、革新的な特徴を備えている。弾倉が回転し、続けざまに複数の弾丸を発射できる。特許を取得したこの拳銃の銃身が向いている先には、コルトM一八五一ネイビーがある。テキサス共和国とメキシコとの戦闘場面が彫り込まれた一品だ。創業者のサミュエル・コルトは、当時もっとも大切な顧客だったテキサスレンジャーを喜ばせるような絵柄を採用したのだろう。結果的にこのリボルバーは、コマンチ族を彼らの土地から追い払うための戦いに必要不可欠な武器として利用された。

その後この武器は、テキサスだけでなくアメリカ全体に広がり、アメリカ帝国の建設に欠かせないツールとなった。先住民族の戦士たちは、かつてはどんな火器よりも速く、二〜三秒に一回の割合で矢を放つことができたのだが、リボルバーの登場により先祖伝来の土地を追われることになった。

サミュエル・コルトがもたらした影響は、戦場だけにとどまらない。南北戦争が終わるまでに四〇万丁以上の拳銃が販売されたというが、その拳銃を製造するためにコルトは、完全に交換可能な機械製の部品をつくるという新たな目標を掲げた。これは、のちにアメリカ方式と呼ばれるようになる組立ライン式の製造を飛躍的に発展させた。一八五五年には、二万平方メートル以上の敷地に、金属を叩き、圧延し、くり抜き、削り、同一の部品に成形する機械を配置した工場を開設した。それは、この世界が二度と以前の世界には戻れないことをもっとも顕著に示す兆候だったのかもしれない。

一八七四年に発注され、いまだに製造されている四五口径リボルバーを近くから眺める。時代を象徴するこの単動式の軍隊モデルは、皮肉にも「ピースメーカー（調停者）」という名称で一般に販売されている（西部には「神が人間をつくった。そしてサミュエル・コルトが人間を平等にした」ということわざがある）。その銃身を見下ろしている私には、それが芸術と言えるのかどうか判断できない。だが芸術と言えるのなら、それは近代の芸術なのだろう。

＊

この仕事について五年近くになると、身についた癖もあれば、確固たる交友関係もある。担当したい展示室と、あまり担当したくない展示室を区別するようにもなる。「どうして印象派の絵っていつもぼやけているように見えるの？」という家族の会話を耳にしたときに、いつどのように自分の意見を言えばいいのかもわかる（ただし最近は放っておく場合が多い）。要するに、私はベテランになったのだ。そうなると居心地がいい。私は自分に合うリズムに身を浸し、それを維持するのに大した努力をする必要もない。たいていの日は、自分がしているこの風変わりな仕事が、これまでの仕事と同じように普通に思える。だがときにはこの状態が、別の仕事へのあこがれや後悔を呼び起こすこともある。

ある日の朝、もう何度目になるかわからないが、アメリカ絵画の展示室の持ち場につく。その日は、壁に掛かっている絵が生気に欠け、退屈なものに見えた。これは絵のせいではなく、ベテラン警備員の一週間には、芸術作品がありとあらゆる姿に見えるほどの時間があるからだ（見る価値がないと思うときさえある）。かつては毎朝、教会のような静けさが心を満たしていたものだが、もはや心をのぞき込んでも、そのような静けさはあまり見あたらない。いま頭に浮かぶ考えは少々騒々しい。かつての静寂に満ちた詩が、断続的に興味を引く散文に置き換わったのだ。たとえばいまは、自分がどの班に配属されたのかを思い出そうとしている。一班だったかな？　それとも、それは昨日のことだったかな？　また、自分が頭のなかで計画しているいくつかの用事を確認することもある（父の日のプレゼントは何にしようか、といったことだ）。私はいま、ジョン・シンガー・サージェントの『マダムXの肖像』のそばの持ち場にいる。周知のとおり魅力的な絵だ。それとは対照的に、自分は魅力のない姿をさらし、絵と自分とで喜劇的なペアを形成しているが、それもいまは気にならない。いたって普通の状態である。

やがて時間が過ぎ、来館者が行列を成してやって来ると、相互に関係のないさまざまな考えが頭をよぎる。今日はエホバの証人の団体が何組ぐらい来るのだろう？（ときには、聖書にまつわる観光ツアーの一環として、この美術館に二〇〇人を超える信者が連れてこられることもある）『マダムXの肖像』を見るために私のほうに近づいてきたカップルが、ロックスターのマイケル・スタイプと女優のキム・キャトラルだったらどうしよう？　今日の同じ班のメンバーには、休憩から戻ってくる時間が遅いことで評判の悪いエイヴリー氏がいるんだよな。

マディソン街のパニーニの店が閉店してしまったから、今日の昼食はどうしようか？　先日ロッカー室で立ち聞きしたジョークはおもしろかったな。「だからおれはその女性に言ったんだ。『おれたちは警備員じゃない……警備のアーティストなんだ』って」（訳注：「artist」には「芸術家」のほかに「達人・名人」という意味もある）

予想どおり少し遅れて押し出されると、私はいつものユーモア感覚を忘れて、いらいらする。うまくいかないことがあまりない仕事をしていると、ごくささいな非礼さえしゃくにさわる。六メートル余り離れたところにある次の持ち場に移動すると、そこには、風の吹きすさぶメイン州の海岸がある。砕け散る波をとらえた、ウィンスロー・ホーマーの壮大な風景画だ。その絵はきわめて荒々しく、いまの私の気分を多少は表現しているように見える。ただし多少でしかない。潮の香りはしないし、それをかぎたいとも思わない。そしてあっという間にまた交代の時間が来て、その日のローテーションの持ち場Aへと機械的に移動する。今度は、アメリカの印象派画家メアリー・カサットの絵画のそばである。

カサットは疑いもなくすばらしい画家だが、いつ見ても、どこに位置づければいいのかがわからない。そのため、最近は心のなかでアメリカ美術をめぐる散策を行なうことが多いのに、この画家が登場することはない。カサットはピッツバーグ生まれだが、海外で教育を受けた。そのため、彼女の主要な作品はすべてフランスで描かれ、モネやドガなどの作品と一緒に展示された。だがその作風は、さほどフランス的でもなければアメリカ的でもなく、ややブルジョワ的というだけで何の枠（特に女性という性）にも収まっておらず、一般的な印象派のイメージのように「ぼやけて」なく、古の巨匠よりは自由でのびのびしており、どの分野に属するのかがはっきりしない。私がこれまであまりこの画家について考えたことがなかったのは、考えるきっかけとなる明確な部分が見つからなかったからなのだろう。

だが今日は、私の関心を呼び覚ます出来事があった。いや、呼び覚ました人がいたと言ったほうがいいかもしれない。その展示室のいちばん奥で、女性がイーゼルの前に立ち、片手に絵筆、片手にパレットを持ち、床を汚さないように足元に布を広げ、眉根を寄せて集中しながら、目の前の絵を模写している。模写するキャンバスは、保安部の規定どおり、原画より二五パーセント以上小さいものを使用している。模写をするのは美術学校の学生が多いが、この女性はそれほど若くない。話しかけるのをためらわせるような、真剣で集中した表情をしている。その絵を描き始めたのは明らかに今日ではない。もう間もなく完成しそうだからだ。ただし、これから一時間で終わるのか、まだ五時間かかるのかはわからない。絵を見に来る大半の人々と同じように私も、絵がどのように描かれるのかについてはあやふやな感覚しか持っていない。本を読んでも、多少参考になるという程度のことしかわからない。そのため私もほかの来館者同様、模写をしている人がいるとつい見入ってしまう。私は、礼儀正しく距離を置いて立っている数名の来館者に交じり、彼女のゆっくりとした静かな筆さばきを見守る。

この女性の作品を私なりに評価してみると、実に愛らしいものだった。マリーゴールド色のドレスを着た母親が裸の幼子の世話をしている様子を、好ましく描いている。模写をした女性は、明らかに時間をかけてこの作品と向き合い、多少なりとも納得のいくようにまとめあげており、一見すると芸術作品として遜色がない。だがしばらくのちに、目を上げてカサットの原画を見た私は、こう思わずにはいられなかった。二五パーセントの規定が想定しているような「すり替え」の心配などまったくいらない、と。確かに、カサットの絵は愛らしくはない。だが、太陽の光を浴びているような美しさがあり、大胆で、わかりやすく、色彩豊かで、正しく、単なる「芸術作品」よりどことなく堅牢である。慎重かつ辛抱強く模写したこの女性には酷かもしれないが、カサットは苦労して手に入れた技能という翼で空高く舞い上がっている。これが彼女のスタイルであり、彼女のモチーフなのだ。カサットは迅速かつ秀逸な知性で無数の選択をしている。それを再現することはできない。せいぜいぎこちなく模倣できるだけだ。要するに私は、彼女の絵のよさについては同意も反対もできないが、ここ数年間で初めて深い感銘を受けた。

こうした瞬間は、以前のように何度も訪れるわけではない。それを考えると悲しくなる。偉大な絵画は、畏怖、愛情、痛みといった眠れる感覚を刺激する。中二階にある雑多な骨董品に対する好奇心とは違う。私はそのときふと奇妙なことに、自分の痛切な悲しみが消えていることを悲しんでいる自分に気づく。私の人生のまんなかに大きな穴を開けたあの喪失感

✪図17―メアリー・カサット『母と子』に寄せて。

は、もはや私の心を支配しておらず、さまざまな関心がその穴を埋めている。それは正しい自然なことなのだろうが、素直に受け入れられるものではない。

11……未完

タラと私が結婚してからちょうど五年後、兄が死んでから間もなく五年になるその日、私はまたしてもベッド脇に座っていた。ただし今回は産科の病室である。以前と同じように、病室には素朴で静かな雰囲気が満ちている。ときどき看護師がタラの体調を検査しにやって来るが、特に心配する様子もなければ、何かを期待する様子もない。私たちはもちろん期待しているが、映画のようにはいかない。ただそこに座り、以前と同じように、その小さな部屋で間もなく起きる、重大かつ神秘的だがどこにでもあることがいつ起きるのかを思いめぐらす、長い静かな時間だけがある。

いつも時間通りに現れる主治医は、シン医師という。何を隠そう、セクションGの常勤主任であるシン氏の息子だ（シン氏が何度も息子の自慢話をするのを聞いていたため、息子のことを調べたのだ。調べてよかったと思う）。やがてお決まりの陣痛がやって来て、それが共圧陣痛となり、今回は五年前とは正反対の最終的瞬間が訪れる。沈黙ではなく泣き声が聞こえ、祈りではなく興奮が生まれ、しがみつくべき最後の記憶を求めるのではなく、しなければならない作業であたりが騒然となる。

夜、息子のオリヴァー・トーマスと一緒に起きていると、私はときどき恨めしげに聖母子像を思い出す。あの子どもはいつも落ち着いている！　聖母はいつだって穏やかだ！　そんな絵とは対照的に、私の腕のなかで身もだえするこの生き物は、元気にあふれ、粗野で、笑いを誘う。息子は、あごを濡らし、手足を突っ張りながら、一びんのミルクをむさぼるように大きな音を立てて飲み、それを腹でこなし、排便すると同時に、ミルクに酔った至福の顔で眠りにつく。

私はできるだけ慎重に尻の汚れを拭き取ろうとするが、ひんやりとした冷たさに襲われた息子は、当然のごとく理不尽な怒りを爆発させる。あんまりだ！　それから長い数分が過ぎ、息子は再び私の腕のなかで眠りにつく。私は不自然でいびつな姿勢をしているが、息子を起こしてしまうおそれがあるので、まだしばらくは姿勢を変えられない。疲労で気がおかしくなりそうになりながら、その場に立ち尽くし、癒着前の頭蓋骨の骨片を通して息子の心臓の鼓動を感じる。

オリヴァーが生まれる前は、新生児を腕に抱くにはこのうえない繊細さが必要なのではないか、自分が赤ん坊を壊してしまうのではないかと心配していた。だが実際に接してみてわかったのは、生命が詰まったこの小さな袋、この何十億もの細胞のかたまりは、厚みや力強さ、堅牢さを備えているということだ。以前トムが、驚異的な乱雑さに満ちた細胞生物学について、ひいては生命全般について熱く語っていたことを思い出す。自然は、単純さよりも奔放さを重視する傾向がある。それは美しい被造物を生み出すが、その被造物は必ずしも巧妙なものでもなければわかりやすいものでもない。私に言わせれば、それは自分自身の人生にもあてはまる。私の人生はもはや単純なものではなくなった。だが息子が加わったおかげで、より美しく堅牢なものになろうとしているのではないだろうか。

休暇を取得してほぼ無給状態となった三カ月間、メトロポリタン美術館の一つの持ち場よりも狭く、エレベーターもない三階のアパートが私の職場になった。静謐で汚れのない展示室から、何もかもがやりかけの散らかった部屋へと替わったわけだ。だがどういうわけか、一八万平方メートルに及ぶメトロポリタン美術館にいたときよりも、このわずか六五平方メートルの部屋にいるときのほうが、やるべき仕事が多い。正直に言うと、この生活に慣れるのに大変な苦労をした。私はこれまで、ほとんどつまらないものなどない生活を送ってきた。そこで重要なのは、まるで手間のかからない世界で周囲を見まわすことだけだった。ところが、育児でいちばん重要なのは、無数に積み重なるつまらないことに対処することなのだ。それに気づいたときの私の衝撃を想像してみてほしい。洗濯物の山。定期的な健康診断。

決して終わることのないおむつ用バッグの荷づくりと荷ほどき。結果的に私はほとんどの時間、農民が抱いているに違いない感覚を抱くようになった。雑事に疲れ果て、その成果を堪能できないというあの感覚である。

それでもときには……。

ある日の午後、私は意を決して行動に出た。適当に荷物を詰めたおむつ用バッグだけをつかむと、小さな息子をサルのように前に抱え、勇んで広大な外の世界へと出かけたのだ。目的地はブルックリンのサンセット・パーク。メキシコ料理店が並ぶ五番街と、繁盛している丘の上のチャイナタウンとを結ぶ斜面に座ってのんびりしよう。私は息子を抱えてその丘を登り、ピクニックをする人やたこあげをしている人、サッカーをしている人たちのそばを通り過ぎ、やがて丘の頂上にたどり着く。そこでは、標準中国語やピン語を話す六〇人ぐらいの人が軽い有酸素運動をしており、二胡の演奏家が美しい音楽を奏でている。オリー（訳注：オリヴァーの愛称）が、まるでコマのように頭を動かす。実際、ほぼどの方向にでも頭を向けることができるので、私たちはときどき息子のことを「オウリー」と呼ぶ（訳注：「ふくろう」を意味する「オウル」と「オリー」を重ねている）。

近所の子どもたちが遊んでいる姿を見せてやろうと思い、息子を遊び場に連れていく。無鉄砲なほどはしゃいで走りまわる子どもたちを見て、人間はこれほど喜べるものなのかと思えるほど喜んでいる。そんな息子が愛おしい。思いきって滑り台に乗せ、魂が飛び出るぐらいびっくりするのではないかと心配しながら滑らせてみたが、今日の私の賭けに外れはなく、ほんの一瞬悲鳴をあげただけだった。そのあと、きれいだがどこかみすぼらしい、使い古されたこの公園のなかの、まばらに芝生が生えた一画に息子を寝かせる。公園は人でいっぱいだ。まわりの往来の音も聞こえる。それでもそこにいると、原初的な自然の恵みが明らかに感じられる。太陽が輝き、風が吹き、ニレの古木がこの地球上のどんな生物にも劣らないほど堂々とした姿を見せている。私の息子もそうだ。私が大きく潤んだ瞳をのぞき込むと、その目が私の目をとらえて微笑む。私はその瞬間のきらめきに驚く。それは、美しいだけでなく優しい。数々の悪戦苦闘を伴う優しさだ。

＊

久しぶりに仕事に復帰すると、ジョセフが歓迎委員会の委員長といった役回りを演じ、いきなり大きな声で「家族持ちの男だ！　家族持ちの男が戻ってきた！」と言って歓迎してくれた。私たちはそのとき、初めてジョセフに会ったときと同じように、派遣局の部屋の外に立っていたのだが、今回はジョセフのほうが私を連れまわし、私に子どもができたというニュースを誰彼となく伝えてくれた。なかには、まるで私たちが葉巻でも配り歩いているかのように、いわゆる子持ちクラブに私を迎え入れ、握手をして背中を叩いてくる警備員もいた（訳注：アメリカでは子どもが生まれると、父親がその誕生報告として知人に葉巻をプレゼントする風習がある)。

彼らはいくつもの助言とともに、無数の質問を浴びせてきた。ミルクの飲みっぷりはどうだ？　睡眠はどうだ？　それはお気の毒だが、自分と同じ部屋に子どもを寝かせてたら、自ら災いを招くようなものだよ。えっ、風邪をひいたって？　かわいそうに……そういうときにはだな、品質のいい蜂蜜を一びん買ってきて、新鮮なショウガをすりつぶして混ぜるんだ。それほどたくさんあげなくても、少しだけでいい……(訳注：実際には乳幼児に蜂蜜をあげてはいけない)。

世のなかには他人の幸福を祈ってくれる人がいる。以前私に仕事を教えてくれたアーダも、そんな立派な人間の一人だ。絶えず誰かの家族の様子を尋ね、心の底から関心を持って話を聞いてくれる。その日も、私の腕をつかんで散歩に連れ出し、私の両親が初孫を見たときに何と言っていたかをひどく知りたがった。その一方で、新たに購入した絵のところで立ち止まり、こんなことも言っていた。「これ見てよ。これほどおぞましいもの見たことある?」

午前一〇時に開館すると、見慣れた顔がどんなものだったのかを思い出す。見覚えのある顔はさほどいないが、畏怖や当惑の表情、トイレが見つからないときのいらいらした表情には見覚えがある。とはいえ、この美術館には常連客もいる。一日仕事をしていると、そんな人を何人も見かける。たとえば、警備員にどの電車で帰宅するのかと尋ね、その電車の運行情報を教えてくれるので警備員から重宝されている、ケンジという発達障害の若者がいる。

また、いつもアーノルド・パーマーらしき緑のブレザーを着て、大学生を待ち伏せしては長々と話しかける老人がいる。サイレント映画のスターのように長いコートを肩にかけ、象牙の取っ手のついた拡大鏡を使って絵を見ている男性もいる（残念ながら名前はわからないが、互いに「サー」と呼び合っている）。そしてさらに、独特のゆったりとした足取りで美術館をくまなく歩きまわり、どの警備員にも一日に必ず一回だけ挨拶する、ドワイトという男性がいる（二度会うことがあったとしても、二度目は何も言わない）。このドワイトから、三語以上の言葉を引き出すことはまずできない。たいていは忙しそうに、小さな紙片に何やら書いている（描いている？）。だが今日は「しばらくぶりだな」と私に声をかけ、返事も待たずに歩み去っていった。

久しぶりの仕事になじんでくると、自分には愉快なほどたっぷりと時間があったことを思い出す。靴のなかに足を突っ込んで立ち、腕を組み、あたりを見まわしているだけの時間。少なくとも私が知っている大人はみな、我を忘れるほど忙しいと口にするが、この場所にそんな忙しさはない。長く静かな時間があるだけだ。ときに質問されたり（「ねえ、これって原画なの？」）、指導する必要があったり（少女が額縁を引っ張ったりしたときなど）するが、それでも静寂を味わう時間はたっぷりある。

私は数カ月ぶりに、きっかり一時間の長さを感じられるときの一時間とはどんなものかに気づく。しばらくオリヴァーと家で休暇を過ごしていたが、あの休暇の時間とこの空っぽの時間との間には大きな違いがある。前者は、使い尽くされ、消費され、浪費され、ジェットコースターのようなテレビに流される時間であり、おそらくは時間がつぶれるだけでなく、肉体も痛めつけられる。一方後者は、ある夏の日にポーチに座り、転がり草が風に吹かれて転がっていくのを眺めているような、古風な時間である。

時間がたつにつれてはっきりしてきたのは、自分が警備のあり方を忘れていたということだ。立っているだけの技能がさびつくこともある。私は、「立つ」ということが実際には、立ち、もたれ、歩きまわり、体を伸ばし、残りわずかなインクカートリッジのように脚を振ることだったと思い出す。午後遅くになると、疲労や痛みを覚えるようになったが、それは、育児の狂騒的な疲労とは違う、喜んで受け入れられる類いの単純な疲労だ。

私はふと思う。そう、これが私の人生なのだ。これからの私は、ライブハウスと修道院ほどの違いがあるこの二つの世界を行き来することになるのだろう。私はその日、ピーテル・ブリューゲルの『穀物の収穫』の近くに立っていた。この旧友とも言える絵に近づきながら、この二つの生活を和解させる方法があるのだろうかと考える。静寂と芸術から成る神殿と、その外にあってつらい仕事ばかりが押し寄せる世界とを、どのように結びつければいいのか?

もう何度もしたことだが、私はまるで窓をのぞき込むように、ブリューゲルの描いた風景を見つめる。今日は、ふだんより細かい描写に目が引きつけられる。無力なニワトリに棒を投げつける子ども、川の深いところで水浴びをする修道士、山ほどの干し草を積んだ車を牛に引かせている農民。活気あふれる光景だが、この人物たちはもちろん、キャンバスの色鮮やかな表面に固定されている。日々、月々、年々繰り返される彼らの複雑な人生をそこに垣間見ることはできない。思うに、芸術作品にはどうしても、単調さや不安、相次いで起きるつらい現実により狭くなる視野など、人生のあるがままの側面をうまく描写できない傾向がある。少なくとも今日は、自分が担当する展示室にある完成された絵が、いまも進行しているこの世界とは隔絶された世界のもののように思える。

*

オリヴァーが生まれた二年後には、ルイーズが生まれた。私と同じブロンドの女の子だ。ウィージー、ウィーズ・ガール、リトル・ミス、ウィーザー、ウィーズなどの呼び名がある。ルイーズは兄に比べるとおっとりしている。オリヴァーはいまでは、よちよち歩きのエイハブ船長になった。荒々しく獰猛で、強迫観念にとりつかれ、それに不屈の意志で立ち向かう。それに対してルイーズは朗らかで、ひょうきんで、こだわりがない。結局のところ、子どもの気質はさいころの目と変わらない。私たちがこれまで人間の性質だと思っていたものの大半は、実はオリヴァーの性質でしかない。

やがて以下のような日々が日常になった。(勤務時間が短い日には)七時ごろ帰宅すると、すぐさま四つんばいになって、オリヴァーと電車ごっこをする。そしてどうにかして夕飯をつくり、テーブルに並べるのだが、これはタラがすることが多い。託児所に子どもたちを迎えに行くのはタラの係だ。ウィージーは、始終タラの胸にかじりついている。夕食がすむと、また床に戻って、退屈で退屈で退屈な電車ごっこが始まる。就寝時間は闘いの連続だ。オリーを風呂に入れるために闘い、ベッドに寝かせるために闘い、目を閉じさせるために闘い、最終的には勝利を収めるが、それが最後の闘いになるとは一時も思わない。一方のルイーズは、母親の腕からまったく離れようとしない。だがそうさせてあげないと、扱いやすく上機嫌な娘ではいてくれない。

最終的に二人とも眠りについたところで、改めて家のなかを見てみると、ここへ民生委員が来たら子どもたちを隔離しようとするのではないかと思うほど散らかっている。私たちは、何とか民生委員の許容範囲に収まる程度まで部屋を片づけたあとで眠りにつく。そのときも、片側はオリヴァーが私たちのベッドに潜り込んできたときのために、もう片側は幼いウィーズが泣き始めたときのためにスペースを空けておく。当時の私の休日は月・火・水だったので、金曜日（一二時間勤務）と土曜日（同上）、日曜日はほとんどタラに会えない。週末は彼女が一人で子どもたちの相手をするしかない。

私はもはや七年以上も、仕事の性質上、対処できないことが何もない仕事をしてきた。実際、私が監視している間に破損した芸術作品は一つもない。行方不明になった傑作も一つもない。野球で言えば一〇〇〇本安打だ。ところがこの新たな生活では、成長という過程のなかで地獄のような苦労をすることになる。

私はいま、感情には流動的な側面もあることを学びつつある。子どもの感情は何の前触れもなく、朗らかな状態から大荒れの状態へ、あるいはその逆へと移り変わるが、それについては大人も大して変わりはない。それに気づいたいまでは、たとえば古代ローマ美術の展示エリアに配置されたときには、無表情な貴族の胸像を見つめながら、このまじめな仮面の奥にはこっけいさが隠れているのではないか、などと考えるようになった。いかつい顔をしたカラカラ帝が、まるで駄々っ子のように「何でもないことに腹を立て」ている姿が容易に思い浮かぶ（これは母がよく口にしていた言葉である）。あるいは、そのカラカラ帝が何の理由もなく、自信や生きがいに満ちた晴れやかな気分になり、厳しい表情を和らげる姿もまた、容易に想像できる。

メトロポリタン美術館に勤め始めた最初の数カ月間を振り返ってみると、あのころはいつも静かな雰囲気のなかで監視する日々を続けていられたことが、いまの私には驚くべきことに思える。それこそがまさに、悲しみには特有の力があることを証明している。いまの生活は奮闘や努力ばかりであり、それほど集中的な生活などとうてい想像できない。私にはもう、この美術館に来たときのような単一の目的はない。その代わりに、いまの私には送るべき生活がある。

＊

二〇一六年の春、ちょうどルイーズが歩き始めたころ、メトロポリタン美術館もまた、斬新な取り組みへの第一歩を踏み出した。そのころ、ホイットニー美術館がダウンタウンに移転したため、それまで使っていた建物が空になった。そこでメトロポリタン美術館が賃貸契約を交わし、そこをサテライト会場として利用することにしたのだ。その結果、警備員が朝出勤して派遣局に顔を出すやいなや、美術館の外に派遣されるといったことも起きるようになった。

「メット・ブロイヤー」と呼ばれるそのサテライト会場は（二〇世紀半ばにこの歴史的な建造物を建てたマルセル・ブロイヤーにちなんでいる）、マディソン街を七五丁目まで下ったところにあり、その姿で通行人たちを当惑させている。そこは、私たちの基準からすれば風変わりな仕事場だ。警備員数十人で全体を警備できるほどの広さだが、私たちがなじんできた心地よい古風な美観とは違い、すっきりしたラインを持つ現代主義的な美観を備えている。来館者もこのような外観や印象のメトロポリタン美術館には慣れていないため、こちらの会場にはためらいがちではあるが好奇心に満ちた雰囲気がある。警備員も来館者も、誰もがその会場がどんなものなのか把握しきれていないのだ。

ある日の朝、《ニューヨーク・タイムズ》紙を読んでいると、メット・ブロイヤーの開館記念展『未完』が酷評されていた。これは、完成前に放棄された作品や、完成がなく常に制作中だという作品をそろえた、コンセプト重視の展覧会である。私はそれを前向きな兆候だと受け止めた。メトロポリタン美術館では、学芸員が何度も失敗を重ねることは許されない。したがって学芸員はどうしても、安全策をとる機会が多くなる。そのため私は、混乱を生むおそれのある勇気ある展覧会の警備を指示されるとわくわくした。

メット・ブロイヤーに入ってみると、そこには展示品の配置基準が歴史にも地理にも従っていない世界があった。この展覧会では、ブルッヘのヤン・ファン・エイクからシカゴのケリー・ジェイムズ・マーシャルまで、多岐にわたる芸術家の作品が紹介されている。たとえば、アルブレヒト・デューラーの描きかけの救世主像がある。キリストの顔の下書きだけが施され、色で肉づけされるのを待っている。また、アリス・ニールが描いたベトナム戦争時代の黒人召集兵の肖像画もある。その男性が一回ポーズをとっただけで姿を消してしまったため、画家自身がこれで完成だと見なした作品である。

なかでもとりわけ警備員たちの関心を引いたのが、八〇キログラム近くの重さがある、色とりどりの紙に包まれたあめを集めたかたまりだ。来館者はそのあめに触れられるどころか、あめを持ち帰ってもいい。この作品は、芸術家のフェリックス・ゴンザレス＝トレスが、エイズでやせ細ったパートナーの肖像として制作した。だがそのパートナーとは違い、この作品は絶えずあめを補充されて重みを維持する。

その新聞記事で批評家がどう言っていたのかは覚えていない。私がすぐに気づいたのは、来館者がこの展覧会に本気でのめり込んでいることだ。この展覧会は、一般的な美術展では休眠状態になる脳のどこかに触れ、そこを刺激するらしい。ある日の午後、私がその会場に立っていると、「イリノイ州は娯楽の時間をつくる」と書かれたTシャツを着た男性がやって来た。高尚な文化に通じているようには見えないが、どういうわけかここへ来て、ヤン・ファン・エイクの『聖バルバラ』をしげしげと眺めている。見たところ、その絵に圧倒されているようだ。

この男性を圧倒したのは、美術史的な点でも神学的な点でもない。この絵が、ふたを開けた時計のように、その内部構造を明らかにしている点に圧倒されたのだ。男性は、誰もがそうなるように、顕微鏡を見て描いたのかと思えるほど詳細な下絵や、地平線の上に薄く塗られた未完成の大気に目を見張っている。おそらくは、並外れた作品が持つ、あのたちどころに共感できる美点に魅せられ、夢中になっているのだろう。それはつまり、これは巧みに成し遂げられた仕事（この場合は、巧みに始められた仕事）だという美点である。

「きれいだな」

男性はそっけなく、口に出してそう言う。まるで、超一流の浴室のタイル張りや台所の調度品について言っているのかと思えるような口調だ。だがその作品はまさに、タイル張りや調度品の業者が受ける最高級の誉め言葉（「きれいな仕事をしている」）と同じような意味できれいだ。

また別の感嘆すべき作品を探そうと去っていく男性を見て、私は元気づけられた。というより、誇らしい気分になった。私たちは誰もが、技能を駆使して注意深く辛抱強く何かをつくりあげるというのはどういうことなのかを知っている。だからこそ最終的には、必要以上にいいものができる。私たちは誰もが、どんなことであれ本当に熟達するのがいかに難しいか、苦もなくつくられたように見えるものにどれほど難しい作業が必要なのか、そこにどれほど大変な努力が隠れているのかを知っている。私が誇らしい気分になったのはたぶん、私たち人間はどんな欠点があるにせよ、いつもそんな作業をしているからだろう。まあまあよりもはるかにいいものをつくる作業を。

それはかなり規模の大きな展覧会だったため、私は最初の二、三回、自分にとってはこの展覧会でもっとも記憶に残るものになった作品を見逃していた。その作品は、円形に配置されたメイン通路から外れた展示室にあった。そこにリンゴの木の板がある。左上の隅が腐って欠けており、表面には虫食い穴が散乱している。ごく一部だけ、細心の注意を払って深く彫刻した跡がある。印刷業者がそれにインクを塗り、白紙に押しつけて写し取り、木版画という商品を生み出す日に備えてのことだろう。ただし、よくわからない何らかの理由により、彫刻師はその作業を中断した。だがそのために、その彫刻師の作業の元になる下絵が完全に消えてしまうこともなかった。現代の私たちがその下絵を見られるのは、そのおかげなのだ。

それは、ピーテル・ブリューゲルの手でこの板に直接描かれた下絵だった。

　私はこれを発見してあぜんとした。腐ったリンゴの木の板に残る巨匠のペンさばきを見ると、体全体に衝撃が走った。最終的にできあがった木版画を見たとしても、これほどの衝撃は受けないだろう。その下絵は、ブリューゲルのほかの作品に劣らず魅力的で、人間味がある。『汚れた花嫁』と呼ばれるその作品には、同名の大衆演劇を演じる町の人々が描かれている。つけ鼻をつけた男が、ナイフと石炭シャベルで音楽を奏でるふりをしている。花婿のモプススを演じる若い男が、もはや処女ではない花嫁のニサの手を引いている。この演劇は「モプススとニサが望んでもいない結婚をする」という内容だが、これは「何が起こるかわからない」という教訓でもある。それが、四旬節《しじゅんせつ》という厳粛な日々の前に開かれる陽気な懺悔節の祭りで演じられる。つまり、困難な状況を存分に楽しみ、見つけられるところに喜びを見つけようということだ。

　だが私にとって重要だったのは、ぼろぼろでいびつな、彫りかけの不完全な木板の上に、比喩的に言えば巨匠の指紋が残されているのを目にしたことだ。私はそれを見て、見かけ上完璧な状態にある完成された芸術作品から学ぶだけでは十分ではないと思った。これらの作品に必然的に伴う苦労にも目を向けなければならない。ほかの人間の創作過程を見るべきだと言うのには、それなりの理由がある。そこから、自分で何かをつくる方法を学べる。私は実際に、生まれて初めて、自分も何かをつくっていると思えた。ひどく野暮で場当たり的な

✪図18—ピーテル・ブリューゲル『汚れた花嫁』の木版下絵。

やり方だが、二人の小さな人間をつくっている。そして、二人にとって望ましい小さな世界をつくっている。このプロジェクトは、完成することも終わることもない。

メット・ブロイヤーそのものはと言えば、その賃貸契約を満了することすらできなかった。たった四年で、高い経費と不安定な入場者数を理由に閉館した。メトロポリタン美術館ほど立派な組織でも、新たなものを生み出すためには実験とつまずきが必要なのだ。

12……日々の仕事

それから二年の間に、私は二つの展覧会に想像力をかき立てられた。一つは大規模なもの、もう一つはささやかな規模のものだ。一つは、芸術史上もっとも有名だと言ってもいい人物を取り上げ、もう一つは、自分たちを芸術家だとは認識さえしていない無名の人々のグループを紹介している。一つは、一六世紀のキリスト教世界の中心へと見る者をいざない、もう一つは、二〇世紀アラバマ州の田舎の黒人コミュニティ、すなわち、そこに暮らしている住民の生活以外には特に何もない世界の中心へといざなう。

前者はミケランジェロのスケッチの展覧会、後者はジーズベンドのキルト作家の作品の展覧会である。この二つの展覧会にはこれほどの相違があるが、芸術やその創作に関する私の考え方を改めさせ、私たちの取り組みをいつも邪魔するこの世界で、価値ある何かをつくるとはどういうことなのかを教えてくれたという点では似ている。

何らかの方法でシスティナ礼拝堂の天井に近づくことができれば（たとえば、その天井近くに設置された足場にミケランジェロと同じように立って見上げることができれば）、この巨匠が一日にどれだけの仕事をしたのかを正確に把握できるに違いない。画家とその助手たちは毎朝、新たに塗った漆喰が乾くその日の終わりまでに描き終えてしまわなければならない領域の準備をした。こうして生まれたのが「ジョルナータ」という単位だ。これはイタリア語で、「一日の仕事」を意味する。あの天井画は実際のところ、不規則な形をした小さな領域を集めた、ほとんど境目がわからないモザイク画なのだ。たとえば、横たわっているアダムは四ジョルナータ、体を乗り出している神もまた四ジョルナータである。こうして数えてみると、ミケランジェロはこてや筆、絵の具の壺、砂や石灰の袋を持ちながら、およそ五七〇日をあの高みで過ごしたことになる。

メトロポリタン美術館で開催されたあの展覧会では、どこよりも間近に制作中の巨匠の姿を見ることができた。ただしここで言うのは、心の近さのことである。そこには、七〇年に及ぶ芸術家人生の間に生み出された一三三点のスケッチが展示されている。ほとんどが、誰かに見せる意図のない習作である。この展覧会には『ミケランジェロ　神のごとき立案者・設計者』というタイトルが冠されていたが、その内容にはむしろ、この巨匠を著しく人間的に見せる効果があった。それはいわば、毎日の仕事を完成させるための闘いに没頭するあまり、自分を美術史の巨人などとはまるで考えていなかったミケランジェロの姿を明らかにしていた。

*

私はある日の朝早く、その展覧会の持ち場に立った。外の五番街にはすでに大勢の人が集まり、落ち着かない様子で開館を待っている。展示室のなかは暗い。暗い闇のなかに、スケッチがスポットライトで照らされている。その照明の当たる範囲に入れば、そこにはささやき声を交わすような親密な世界がある。私はあるスケッチに近づき、ミケランジェロが当時すでに古の巨匠と言われていた画家マサッチオの目を通して見たように、一〇代のミケランジェロの目を通して、そこに描かれたものを見る。それは、マサッチオが描いた聖ペテロのフレスコ画を、ミケランジェロが赤チョークとペン、茶色のインクでスケッチしたものだった。

ミケランジェロはそんなスケッチを描くようになると、父親からひどくぶたれたものだった。ブオナローティ家の人々は破産してはいたが気位が高く、父親のルドヴィーコは息子がそんな肉体労働に精を出すのを見ていられなかったのだ。労を惜しまない入念な陰影づけが施されたスケッチを見ていると、画業を肉体労働と考えていたルドヴィーコは正しいのかもしれない。これは確かに肉体労働だ。繰り返しが多く、退屈で、肉体を酷使する。確かに技能を要する労働ではあるが、いかなる近道も許されない屈辱的なタイプの技能労働である。辛抱強く一筆一筆描く以外に前進する方法はない。

私は仕事をしている若い芸術家の手を思い浮かべながら、その心にも目を向ける。ミケランジェロは、マサッチオが描いた聖ペテロの模写（およびわずかな修正）を終えると、その聖ペテロが伸ばした手をもう一度スケッチした。ただし今度はその向きを九〇度回転させ、上から見たらどう見えるかを検証している。これは、驚くべき思考の飛躍のように見えるが、ミケランジェロが彫刻家になる修業を受けていたことを考えれば、そうでもない（実際、のちに彫刻以外の仕事をさせられて憤慨している）。

三次元つながりで言えば、このスケッチはケースに収められているため、その展示台をぐるりとまわって、その裏側のページを見ることもできる。そこには、また別の手が描かれている。筋肉や脂肪をはぎ取られた、ぞっとするような骸骨の手である。おそらくは、聖ペテロを自分の目で解剖したのだろう。あるいは、フィレンツェのサント・スピリト修道院付属の病院で実際の死体を解剖した際に、その紙を再利用したのかもしれない（当時は紙を無駄にできなかった）。いずれにせよ、私はしばらく自分の手を見つめ、この若き芸術家が自分に課した課題のレベルの高さに驚く。ミケランジェロはこれほど深く、これほど正確に対象を見ることを望んでいたのだ。

これら少年時代の展示室（ミケランジェロの師匠たちのスケッチも見られる）を一人で歩いて

いると、芸術の制作過程に関する基本的な事柄を思い知らされる。この世界は簡単に描けるようにはできていない。それを描こうとする際に安全策をとるなら、先人たちが試行錯誤の末に生み出した、自然の複雑さを制限する方法をまねればいい。だが、自分の視力の限界を押し広げ、ペンがそれに追いつく方法を見つけるという危険な道もある。ミケランジェロは、あらゆるもののなかでもっとも努力を要すると思われる素材に惚れ込んだ。その素材とは、六〇〇余りの筋肉と二〇〇余りの骨格から成る人間の体である。これらの展示室では、ミケランジェロが自分の目や手、心を頼りに、体の動きを学ぼうとしている姿が垣間見える。

一〇時に美術館が開館すると、私はフィレンツェ時代の展示室からローマ時代の展示室へと押し出される。つまり、若いころの職業的成功を跳び越えて、システィナ礼拝堂のなかへやって来る。いやむしろ、システィナ礼拝堂を想起させるように仕立てられた展示室、と言うべきだろう。頭上にあの壮大な天井画が複写されているのだ。数分もすると、巡礼者たちがやって来て私のまわりに群がり始める。彼らは部屋の外周に沿って展示されたスケッチの前を通り過ぎ、カメラをまっすぐ上へと向ける。私はそれを見て、静かに笑う。その数メートル先に見える、ミケランジェロが落書き風にスケッチした自分自身の姿もまた、絵筆をまっすぐ上に掲げているからだ。

この自画像ではミケランジェロが、顔を九〇度上に向け、腕を一二時の方向に向けて立っている。それが、ミケランジェロが少なくとも五七〇日間続けた姿勢なのだ。その落書きの横には、詩が記されている。背骨や腰、絵の具が飛び散る顔、頭という「箱」のなかの脳の状態について、いろいろと不満を述べている詩である。それは、展示室のすぐそばで絵に夢中になっている来館者たちを驚かせるような、哀れな一行で終わっている。「ここは私にふさわしい場所ではない。私は画家ではないのだから」

私はその言葉を思い出し、またしても静かに笑う。私は自信のなさそうな巨匠の言葉を知るのが好きだ。そういう言葉を聞くと、大半の人が自分だけではないと思うに違いない。私はこの展覧会が始まって以来、ミケランジェロの怒りに満ちた手紙や自暴自棄になった手紙をむさぼるように読んだ。真っ先に思い浮かぶのが、「私は何の成果もないまま時間を無駄にしている……神よ、私を助けたまえ！」という一文だ。ミケランジェロは実際に、漆喰の塗り方が不適切だったという未熟なミスにより、最初の数十ジョルナータを無駄にし、みじめな失敗を経験している。その後、仕事を断念する許可を教皇に求めたほどだ。そんな彼の姿を見ていると、恐れ多くも壮大な仕事を任されて喜んでいる様子はみじんもない。

だがそれでも。

私は何度も「すみません」と言いながら部屋の外周に沿って歩いていき、メトロポリタン美術館の収蔵品のなかでもっとも有名なスケッチを見る。それは、この展覧会の目玉でもあった。光に弱いため、私が警備員になってからはほかに一度展示されたことがあるだけの作品だ。ミケランジェロは、天井近くの足場にいないときには、画板に向かって作業していた。赤チョークで描かれたこのスケッチは、天井画の制作の合間に描いたと思われる数千枚のスケッチの一つだ。

私は、そこに描かれた「リビアの巫女」と呼ばれる人物像を見る。だが実際に見ているのは、ミケランジェロのアトリエでポーズをとっているモデルの姿だ。モデルは裸の男性で、きっと学生か助手なのだろう（巫女は文字どおり女性のはずだが、ミケランジェロが主に関心を抱いていたのは男性の体だった）。ミケランジェロはその若い男性に、体をひねった難しいポーズを要求した。それでも、自分が人間工学的に無理な姿勢で仕事を続けていたため、モデルがけいれんを起こしそうなときには思いやりを見せたのではないかと思う。私も自分でこのポーズを試してみたが、周囲の目が気になり、ストレッチをしているふりをしてごまかすと、もっと身を乗り出してまじまじと眺める。

ミケランジェロはあれほど不満を抱いていたのに、どうしてこれほど美しいスケッチが生まれ得たのだろう？　それは、霊感を受けて描かれたように見える一方で、際限のないほど入念でもある。時間をかけて、モデルの背中や腕のあらゆる筋肉に影をつけている。ミケランジェロはこうして、天井に散らばるおよそ四三〇人の人物を描いたのだ。このスケッチを見ると、ミケランジェロは巫女の足に強い関心を抱いていたらしい。地面に押しつけられた親指を三パターン描き、それさえ美しく仕上げている。この紙の上に、機械的なものは何もない。チョークのあらゆる線が、エネルギーや意欲、この難しい仕事への献身を表している。

ミケランジェロは明らかに、まっさらな紙の前に座り、雑事を忘れ、目の前の仕事に持てるすべてを捧げ、それまで抱いていた強烈な不満を後まわしにすることができる人間だった。私はそこに、難しいことを成し遂げる優れたこつがあるのではないかと思う。

四年後に天井画がすべて完成すると、同時代のある人物は「世界中の人間がこれを見ようと駆けてくる足音が聞こえてきそうだ」と評した。だがミケランジェロ本人は、父親への手紙のなかでこう言っただけだった。

「ずっとかかりきりだった礼拝堂の仕事が終わりました。教皇はとても満足しておられます。ただしほかのことは、自分の希望どおりにはいきませんでした。これも、私たちの芸術にきわめて不利なこの時代のせいなのでしょう」

現代の私たちは、この「不利」な時代を「盛期ルネサンス」と呼ぶ。

＊

別の日、私は奥の展示室を担当する班に配属された。この展示室は、巨匠の長期にわたる後半生の作品を取り上げている。ミケランジェロは当時としては異例なほど長生きしたため(間もなく八九歳になろうとするころに死去した)、最後の数十年は、間もなく死ぬのではないかとの不安に常に苛まれていたに違いないが、それでも仕事を減らそうとはしなかった。断続的ではあるが四〇年をかけて、報酬を請求したり設計変更の要求に苦しめられたりしながら

✪図19—ミケランジェロによるスケッチ「リビアの巫女」。※メトロポリタン美術館の厚意による。The Libyan Sibyl to the Metropolitan Museum of Art.

も、教皇ユリウス二世の霊廟を完成させた。この展示室の最初の半分は、その霊廟の「実物説明用のスケッチ」である。ミケランジェロはのちに何度もその再検討を迫られ、最終的に完成させた彫像は、計画されたものの三分の一にも満たない。それと同じように、ミケランジェロの私生活も決して落ち着くことはなかった。五七歳のときには、二三歳の貴族の男性と恋に落ち、その男性にスケッチをいくつもプレゼントした（そのスケッチもこの展覧会で展示された）。その数年前には、一五二八年に流行したペストで弟を失い、まだ幼いその三人の子どもの世話を引き受けた（いちばん下の子どもものちに死んだ）。そのほかにも当時は、敵対する国の軍勢がフィレンツェに接近しつつあった。

私は質問をしてきた来館者にこう答えた。

「私がわかる範囲では、これはフィレンツェの防備を増強するためにミケランジェロが描いたスケッチです。このどこかカニのように見えるとげだらけの構造物は、砲撃を跳ね返すための稜堡《りょうほ》や城壁です。ミケランジェロはスケッチを作成しただけでなく、寄せ集められた大勢の作業員を指揮する仕事も任されました。そのなかには、ふだん自分のそばで大理石を切り出している男もいました。そんな人々が、今度は自分たちの命を守るための作業に従事したのです」

その来館者の話によると、その人は「戦争オタク」なのだという。そこで私は、このときの戦闘の詳細を必死に思い出しながら話を続けた（すでに本を読んで勉強していた）。

「教皇が神聖ローマ皇帝と結託して、メディチ家を権力の座に戻そうとしていたのだと思います。ミケランジェロの防御はそこそこ持ちこたえたんですが、結局は意味がありませんでした。敵はフィレンツェを包囲して、兵糧攻めにしたんです」

その戦争オタクは、私と一緒にそれから二〇秒ほど、数週間に及ぶ現地調査の結果だと思われるスケッチをまじまじと眺めていたが（周囲の地形に関するメモも記されている）、やがて先へ進んでいった。この展覧会には、ミケランジェロが七〇年の歳月をかけて成し遂げた仕事が紹介されているが、大半の来館者は一時間かそこらで、この展覧会を見終えた気分になってしまう。これは何も来館者を批判しているわけではない。だがミケランジェロの気質を知っている私には、この巨匠が腹を立てている姿が想像できる。彼は仕事をする時間を何百日分も犠牲にして、戦争に関するこれらのスケッチを描いたが、それも私たちから見れば、単なる優れた余興に過ぎない。

押し出しを受け、ミケランジェロが現代の基準から見ても老人となった時代の展示室に移動する。当人が書いた詩から判断すると、年老いることを必ずしも楽しんではいなかったようだ。「どんなやすりにかまれ続けたら／この年老いた皮がこれほど縮み、すり減ることになるのか？／わが哀れなる病める魂よ」。七〇歳代のときには、ローマのサン・ピエトロ大聖堂の最高建築家に任命されたが、それを喜ぶこともなかった。友人のジョルジョ・ヴァザーリによれば、ミケランジェロは「自分の意思に真っ向から反する」そのような名誉を与えられて「ひどく落胆していた」という。それは、想像もできないほど厄介な、問題のある建設事業だった。バチカンの政治的駆け引きを潜り抜けていかなければならないだけでなく、これまでにこの事業を担当した二人の建築家の仕事が残されている。ミケランジェロは残りの一七年の生涯を、このサン・ピエトロ大聖堂の建設事業に費やすことになる。

私は約二五センチメートル四方の紙片を見つめる。そこには、ミケランジェロが思い描いた大聖堂の大ドームの形が描かれている。いまローマ上空にそびえるそのドームを思い浮かべると、超人的な仕事に思える。それこそが、ミケランジェロという名前が現代の私たちには超人的に響く理由なのかもしれない。だが、このささやかな紙片には、虹のような曲線がいくつもフリーハンドで描かれている。自分の気に入る曲線の形を探していたのだろう。いくら偉大な存在であろうと、必要とあらばそんな子どもじみた作業をためらうこともなかったのだ。

私はドームのスケッチを離れ、晩年のもう一つの事業につながるスケッチを見つける。その事業とは、ミケランジェロの死により未完に終わったピエタの彫刻の制作である。ある紙片には、八〇歳代の震える手で描かれた五つの習作がある。小さいが力強く、真剣に描かれており、自分は世界一有名な芸術家なのだという意識はみじんもない（八〇歳代になっても、サン・ピエトロ大聖堂の建設を遅らせる原因となるミスをした自分をとがめている。「恥や苦悩で死ねるのなら、私はもう死んでいるだろう」とある）。

そのなかの二つは、ミケランジェロがのちに制作する大理石のピエタに似ている。死んだキリストを母親が立ったまま抱え、そのかなりの体重を支えている姿だ。そのピエタを制作する際、ミケランジェロは最初、筋肉質のたくましいキリストの体を彫りあげた。だが、そこからさらに彫り続けた。その結果、キリストの体は徐々にやせ細り、現代の表現主義的な彫刻と同じぐらい奇妙に見えるほど、弱々しくやつれた姿になった。まだ若かった一四九〇年代に制作されたピエタには、名手らしさがこれでもかと表れていた。だがこちらはもっと苦しげで、私的な感じがする。

私はもう一度そのスケッチを見る。そこには、愛情や敬虔、消耗が表現されている。老人が白い紙に向かって身をかがめ、自分の頭や心が求めるものを手に描かせようと苦労している姿が思い浮かぶ。だが、ミケランジェロをミケランジェロたらしめているものは、その次の段階にある。この習作を描き終えたあと、ミケランジェロは立ち上がり、それを現実のものにする仕事をした。実際、死の数日前まで硬い大理石にのみを振るっていたという。

＊

もう一つの展覧会はひっそりと開催された。ミケランジェロがメトロポリタン美術館にやって来たときには、五番街に横断幕を張って大々的に宣伝されたものだが、この展覧会については、近代・現代美術の展示エリアでの小規模な展覧会に自分が配置されるまで、「ジーズベンド」という言葉を聞くことさえなかった。二つの広々とした展示室の壁に、一〇枚のキルトが掛けてある。それは八人のキルト作家によるもので、そのうちの四人が同じペットウェイという苗字である。私はそれを見て「これは何だ？」と小声でささやいた。どう評価していいのかわからない作品を次から次へと見ていくと、心臓の鼓動が速まっていくのが感じられる。大胆なほど対照的な色づかい、非対称的な模様、目に見える縫い目でつながれた、使い古された粗い素材……。最初にこの展覧会の警備を担当したときに、展示されていたキルト作品について抱いた感想はそれだけだった。それでも、それらの作品が美しいということは、私の心臓の鼓動が証明していた。

それから数週の間に、私はこれらのキルト作家について学べるかぎりのことを学んだ。アラバマ州ジーズベンドでキルトをつくっている数十人の女性へのインタビュー記事も読んだ。女性たちが自分たちの仕事や生活について語っているのだが、それを読んでいると、「ハード（hard）」という言葉がリフレインのように繰り返し登場する。「私たちは苦労《ハード》させられた……」「つらい《ハード》時期だった……」「私たちは大変《ハード》な道を選んだ……」「主よ、私たちは一生懸命《ハード》働きました……」「簡単なことじゃない。難しい《ハード》ことだよ」

展覧会で紹介されたキルト作家の一人に、ルーシー・T・ペットウェイ（一九二二〜二〇〇四年）という女性がいる。彼女は子どものころ、一一月下旬から三月下旬までは学校に通っていたが、それ以外の期間は「綿花の茎を叩き、やぶを刈り払い、新たな土地を切り開

◆図20—ミケランジェロがピエタを制作するために描いたスケッチ。※アシュモレアン博物館(イギリス、オックスフォード)の厚意による。
The one with the three small sketches of Jesus/Mary to the Ashmolean Museum, Oxford.

き、そこを耕して種をまく準備を」しなければならなかった。ほかの女性たちとほぼ同じように、彼女の家も小作農家だったのだ。だがルーシーは、畑にほかの仕事を持ち込んだ。毎日、わずかばかりのキルトの素材を持ってきて、食事休憩の間に縫い合わせた。「一区画かそこら」できればいいと思っていたという（多くのキルトは九区画から成る）。それがルーシー・Tの一ジョルナータだった。

一九五五年に制作された彼女のキルトは、この展覧会で唯一の絵のような作品で、ジーズベンドを表現していた。一方の端には青い筋があり、アラバマ川を表している。それが、細長い赤の端切れに挟まれている。これは泥だらけの堤防である。反対側の端には、柄のついた更紗で綿花畑が表現されている。残りの部分は、同心の四角形を重ねたいくつもの区画で構成されているが、これは「屋根」様式と呼ばれ（訳注：同心の四角形を重ねた模様が、屋根を真上から見た光景に似ているため）、模様や色づかいにさまざまな違いがある。このキルト作品の場合、それが実際の屋根を表している。大きな家一つ、小さな家四つを上から見た光景である。そこから少し離れて見れば、川が大きくU字形に曲がり、ジーズベンドの三方をほかの世界から隔てているのがわかる（訳注：「bend」は「湾曲部」を意味する）。またさらに近づいて、ペットウェイが表現した家をよく見れば、この地域の歴史がよりはっきりと感じられる。いちばん大きな家は昔のペットウェイ農園の「お屋敷」であり、四つの小さな家には奴隷が暮らしていた。

この地域に最初にやって来たペットウェイは、マーク・H・ペットウェイという人物だった。彼は一八四五年、ジョセフ・ジーの相続人から綿花農園を買い取り、それと一緒に四七人の奴隷を財産として受け取った。そしてさらに、ノースカロライナ州にある元の家から、さらに一〇〇人の奴隷を連れてきた（徒歩で移動させられた）。キルト作家のペットウェイたちは、のちにペットウェイという姓を与えられた奴隷の子孫である。ただし、ジーズベンドではその名前が新たな響きを帯びることになった。地元の人たちはこれを「ペッタウェイ」と発音する。

展示品を眺めていると、説明文に「独学」という言葉があった。これは芸術の世界で「民芸」の代わりに使われている言葉である。だがこの言い換えは、それら二つの言葉の本来の意味とはほとんど関係がなく、的を射ていない。それに、私が知っているかぎりでは、これらのキルト作家のなかに独学した者は一人もいない。ルーシー・T・ペットウェイは、母親や大おばから教えてもらった。その母親や大おばも、さらに上の世代の女性から教えてもらった。それは、奴隷解放以前からある伝統であり、部分的には西アフリカの織物づくりにまでさかのぼるという。彼女はまた、同世代の女性たちからも学んだ。歳が近い女性たちと競争するなかで技術を盗んだ。ミケランジェロ時代のフィレンツェのように、ジーズベンドもまた、人口に対する芸術家の割合が異常に高かった。

また、キルトはほかに類を見ないほど公共的な芸術だ。クレオラ・ペットウェイによれば、「春が来ると」女性たちは「キルトをひもに掛けて日干し」しなければならないという。ルーシー・Tもこう述べている。「ときには一五枚、ときには二〇枚」日干しする。「もっと多いこともある。そばを通りかかった人がキルトに見とれて、溝に落ちてしまうこともあるんだから」。彼女も若いころ、鉛筆と紙を持って近所をぶらついてはキルトを眺め、名人たちの作品を模写した。「そこから模様を盗んで、自分のキルトをつくったの」

この展覧会でいちばん古いキルトは、そんな彼女がもしかしたらスケッチしたことがあるかもしれない、メアリー・エリザベス・ケネディ（一九一一〜一九九一年）の作品だ。彼女は一九三〇年代半ばにそれを外に掛け、日干ししていたと思われる。私は、そのキルトが風を受けてうねるさまを思い浮かべる。そこにはさまざまな色合いの白、薄い青、青緑がある。私は、白にこれほどさまざまな色合いがあることを知らなかったが、彼女は使い古された布地（おそらくは日にさらされ、畑で繰り返し使われた古い衣服の端切れだろう）を使ってこの仕事を成し遂げている。それは美術で使われる画材の色ではなく、実生活の色だ。キルトはその構造上、どれも屋根模様を採用しており、同心の複数の四角形から成る九つの区画で構成されている。だがその基本構造は、それらの区画から抜け出してキルト全体へと元気に駆けまわる模様により、全面的に覆い隠されている。この作品では、青のなかに、ピクセル化された稲妻が走っている。

それは、メトロポリタン美術館の現代美術の展示エリアに展示されると、荒々しく、大胆

✪図21—ルーシー・T・ペットウェイをはじめとするキルト作家たちの作品。

で、斬新に見える。だがそれが、隙間風の吹く丸太小屋で自分の子どもをくるんでいたときには、どう見えていたのだろうか？　一九三〇年代は苦しい時代だった。世界恐慌の間に綿の価格が急落し、白人の不在地主に土地代を払えるほど余裕のある者はほとんどいなかった。借金の取り立て屋が大勢で家に押し込み、農具や家畜、家財道具を奪っていったため、森へ行って食料や燃料をあさるほかなかった。そんななかにケネディは、これをつくったのだ。彼女が芸術という言葉を使ったかどうかは知らないが、私にはこの作品にこそ、芸術という言葉がぴったりあてはまるように思える。それはあまりに美しい。

私のお気に入りの作家はロレッタ・ペットウェイだ。この展覧会では唯一、複数の作品（三つ）が展示されている。彼女は一九四二年生まれで、いまもまだ生きている。ルーズヴェルト大統領の住宅政策により建てられた家が、ジーズベンドに点在していたころに生まれ育った。当時は、ニューディール政策の一環として、不況により荒廃したコミュニティを支援する住宅政策が実施されていた。だがジーズベンドの住民たちは、融資を利用して家を買う機会を与えられても、ほかの南部の黒人とは違い、都市に引っ越すことはなかった。そのおかげで、キルト制作の伝統が途絶えることはなかった。

それでも貧困は相変わらずつきまとい、ロレッタ・ペットウェイは大変な苦労を強いられた。インタビューでも、「子どもらしい生活をしたことがない」と語っている。また、夫が話題になると、同じようにぶっきらぼうな口調になった。夫はギャンブル好きの大酒飲みだった。「夫には悪い癖がたくさんあった。私にはそんな癖は一つもない。そんな癖をつける余裕がなかったから」。そのインタビューを読んでいていちばん衝撃的だったのは、彼女が「縫い物が好きではない」と言っていたことだ。ミケランジェロと同じように、この手仕事に関する不満を隠すことなく認め、そんな手仕事をしなければならないことに不服を訴えている。彼女は「ぼろぼろの古い家」に暮らしており、子どもたちはトウモロコシの皮を詰めたマットレスで寝ていたが、そんなマットレスではキルトがなければ耐えられない。

キルト作家のヘレン・マクラウドが、家庭でキルトをどれだけたくさんつくらなければならなかったのかを語っている。「うちにはベッドが六つあった。当時子どもたちは一つのベッドに二人ずつ寝ていたけど、天候によっては、一つのベッドに四枚も五枚もキルトが必要になることがあった」。多くの女性はグループでキルトをつくり、おしゃべりをしたり教会の歌を歌ったりしながら縫っていた。だがロレッタは一人で仕事をした。鬱と不眠症に悩まされていたうえ、自身の話によると「友だちがいなかった」からだ。

「ほかにどうしようもなかった。その人たちにキルトを分けてもらえないかとお願いしても、一つももらえなかった。だから、それなら自分なりの方法でキルトをつくると言い返して、一人でやることにしたの。キルトがあれば、自分も子どもたちも温かく寝られると思ってね。実際そうだった」

ある日曜日の朝、私はこれまで見たなかでいちばん美しいキルトの前に立ち、その作家のことを考える。この美術館では、ずいぶん前に死んだ芸術家について考えることが多いため、まだ生きている芸術家について考えるのは楽しい。ロレッタ・ペットウェイはいまこの瞬間、どこにいるのだろうか？　ジーズベンドにいるのは確かだ（彼女はまったく旅行をせず、このような展覧会へ挨拶に来ることさえない）。もしかしたら、プレザント・グローブ・バプティスト教会にいるのかもしれない。私が好きなこのキルトは一九六五年につくられたそうだが、同年にはマーティン・ルーサー・キング牧師が、選挙権運動といういちかばちかの闘争のさなかにこの教会で演説をしている。近くの町や村への行き来に重要な役割を果たしていたジーズベンドのフェリーは、こうした運動への報復として運行を停止したが、それは現在に至るまで運行を再開していない。

この作品は、抽象画のようなものとして見ることもできる。現代主義的などの絵画にも劣らず簡潔で印象的だ。だが、私はそうは見ない。これはキルトだ。私がそれを気に入っているのは、そこに独自の歴史、実用性、美しさ、質感などがあるからだ。私はできるかぎりこの作品に近づく。それはかすかに揺らぎ、壁に影を投げかける。ロレッタが布地を集めている姿を想像しながら、彼女の言葉を思い出す。「古いシャツ、ドレスの裾、膝丈のズボンの脚。ズボンの脚の裏側みたいに、擦り切れていなければ何でもいいの」。彼女は、このキルトのあらゆる素材の配置を決めてから縫い始めたのだろうか？　それとも、目の前の作業しか見ないで日ごとに縫い進める「膝上」と呼ばれるスタイルで、生活に欠かせないこの作品全体を仕上げたのだろうか？

私はそこから数歩下がり、縦縞で構成されたキルトに見入る。私の手の幅ぐらいの「筋」がかすかに揺らぎながら並んでいる。右端と左端は紺色のデニムだが、大半の筋は薄紫色だ。だがそのなかに、並んではいるがくっついてはいない、白い布地でつくられた二本の筋がある。それは、中心からややずれたところにありながら、作品全体の中心的特徴となっている。『不精女の縞』というタイトルの作品である。私はその筋を横切るように水平に目を走らせ、ピアノの鍵盤を叩いている自分を想像する。こうして見ると、縫い糸の線により分割された色が、次々と移り変わっていく。次いで私は、長い筋に沿ってゆっくり、ぼんやりと目を泳がせる。この感情にうまくあてはまる言葉を見つけられないが、私は圧倒された。白い二本の筋がまるで、光線の形をした天使が楽しげに体を伸ばしているかのようだ。私はこの作品の幾何学に感動すると同時に、その不完全さに心を打たれた。かすかにふらつく線、細かいことにこだわらない素早い縫い目、即興的に集められた素材。そこには、勤勉やひらめきなど、何よりも心の励みになる芸術の性質が豊富にある。

私は一人こんなことを考える。そこには教訓がある。メトロポリタン美術館のように国際色豊かな場所では、学ぶのがこっけいに思えるような教訓だ。意味は常に、その場その場でつくられる。偉大な芸術は、ある環境に縛られた人間が、美しいもの、有益なもの、偽りのないものをつくろうと寄せ集めの努力をするなかで生まれる。そういう意味で、ミケランジェロのフィレンツェは（あるいはミケランジェロのローマでさえ）、ロレッタ・ペットウェイのジーズベンドに似ている。もう「盛期ルネサンス」について考えるのはやめよう。生漆喰を少しだけ塗り、そこに絵を描き、さらにもう少し生漆喰を塗り、そこに絵を描いていった人のことを、これからは考えることにしよう。

13……持ち帰れるだけ

人生は長い。私はそれを実感しつつある。若くして死ねば、人生は長くない。だが若くして死ななければ、不思議なことにこう考えるようになる。ここまで成長してきたが、まだ人生はこれから何十年もある。五〇年、六〇年、いや七〇年も続くかもしれず、そのなかでさらに成長していかなければならない、と。

トムが死んだあと、私はメトロポリタン美術館にたどり着いた。その当時は、成人期は最終段階であり、そのなかでさらに進展があるというよりは、成長や変化が緩んでいくものと考えがちだった。だがいまの私は、そのころからさらに年をとり、兄よりも年上になった。子どものころに登った木より背が高くなったかのような、不自然で奇妙な感じがする。しかしその過程で、自分の人生は現在の地平を越えてさらに延びていることを十分に理解できるようにもなった。それはぐらぐらしたり、きしんだり、うねったりしているのかもしれない。それでも、その道を前に進んでいったほうがいい。要するに私は、人生がいくつもの章で構成されていると考えるようになった。となると、現在の章が幕を降ろす可能性もある。

ジーズベンドの展覧会は、二〇一八年の秋に終わった。そのころから、私は出勤前にオリヴァーを近くの幼稚園まで歩いて連れていき、タラはルイーズを託児所に連れていくようになった(私の給料の大半もその託児所に持っていかれた)。やがて私は日曜日も休みにしたが、まともな週末を過ごせる可能性はほとんどない。そんなことができるのは老人のなかの老人だけだ。それに私は、公立学校のカレンダーに従うほかの家族に合わせて、夏に長期休暇をとれるほどのベテランでもない(クリスマスの週なんてとんでもない)。私が土曜日の夜、仕事に疲れて一〇時四五分ごろに帰宅すると、妻と二人の子どもはたいてい、私のベッドで一緒に眠っている。愛らしい光景だが、それを見るとさらに疲れる。

それでも持ち場に立つのは楽しかった。それはいまだに完璧に近い仕事だと思えた。だが、完璧はもう必要ではないのかもしれない。以前は、自分の主な人生はこの展示室で展開されるのだと思い、その瞑想を誘うような静けさを楽しんでいた。ところが最近では、自分の思考が美術館の外へとさまよい、頭も手足もそわそわと落ち着かない。もうこれほど無垢な環境はいらない。沈黙した警備員として傍観している必要はない。展示室で親子を見つけるたびに、自分の子どもを大都市や広い世界へと送り出すためにどんなことができるのかを考える。先のことを考えると、わくわくすると同時に怖気づく。正直に言えばいまだに、自分たちの部屋の後片づけに追われている。それでも、もっと強く、もっと勇敢になって、もっと外の世界とかかわっていきたい。そう思うようになった。

私はその年の秋から冬にかけて、この紺色の制服を脱ぐべきかどうかを考えながら過ごした。そのころはよく、古の巨匠の展示エリアに派遣されたので、ブリューゲルやティツィアーノといった旧友の前でこの問題をじっくり考えた。もちろん、もうオフィスの世界には戻れない。そんな場所ではすっかり使いものにならなくなった。それよりもこの足を動かす仕事がしたい。そこで私は、観光ガイド会社の電話面接を受けることにし、三時の休憩の間に面接官と話をした。それが終わると、すぐにタラに電話をした。「ロウアー・マンハッタンの散策ツアーを誰が引率すると思う?」

それは単なるパートタイムの仕事だった。これからの人生の間ずっとその仕事をしていくとは思えない。だが人生は長い。隅から見張るのではなく、観光客の一団を引率する。こうして私は人生を探索していくのだ。春に行なわれる最初のツアーの日が近づくにつれ、ツアーの下調べや来るべき本番にわくわくしている自分がいた。何を話し、どう自分を活かそうか?

＊

メトロポリタン美術館の制服を着る最後の日は、セクションBに派遣された。大ホールを見下ろすバルコニーにある主任のデスクへと向かいながら、私はその場の光景を目に焼きつける。頭上には円盤形の丸天井が三つあり、それぞれが大聖堂の丸天井を構成できるほどの大きさがある。その下には誰もいない広大な床があり、二人の同僚が鉄製の支柱を転がしながら運んでいる。後ろには、ガイウス・マリウス将軍が捕虜となったユグルタ王を連行している姿を描いた、ティエポロの大きな絵がある。そして最後の角を曲がった先では、古の巨匠の展示エリアを担当する警備員たちが列をつくり、持ち場を指示されるのを待っている。

サットン主任が一人ひとりに指示を出す。「カーティ、三班で休憩は最初！　マクミラン、二班の交代要員！　ペトロフ、きみは第二隊だろ？　じゃあ遅刻だな……派遣局のボブに連絡しろ。ワイシャール、特別展の班で休憩は最初！」

こうした言葉を耳にするのもこれが最後だが、死ぬまでこれらの言葉を流暢に話せそうな気がする。やがて私の番になったが、主任が私に言ったのは、要するに「さまよえ」ということだった。「ブリングリー、さあ、今日で最後だな！　今日は特定の持ち場につかせるつもりはない。展示室をぶらついて、別れの挨拶をしろ。仕事がしたいなら、ほかの警備員にトイレ休憩でもあげるといい。よろしくな、ブリングリーさん。次！」

私は誰にも気づかれずにこっそりと列に入り込んだつもりだったが、振り向いてみると、そんな努力が無駄だったことがわかった。他人の幸運を祈る寛大な人たちが、握手を求め、私の背中を叩き、これからどうするのかと質問攻めにした。私は、散策ツアーを引率する仕事の話をした。いや、労働組合はないよ。でも、そう、携帯品預り所よりはチップをたくさんもらえるんじゃないかな。

アリ氏が、そこに集まった人たち全員を代表するかのように言う。「若いのによくやったよ。まだ髪もけっこう残っているしな」

だが私は、心からの離別の言葉を誰にも言わせなかった。「従業員じゃなくなってもここには来れるよ」。私がそう指摘すると、確かに給料ももらえないのにメトロポリタン美術館にやって来る人がいることを彼らも認める。幸運なことに、間もなく辞めるこの職場は、やって来る人を残らず受け入れ、自由に歩きまわらせてくれる。それに私は、友人たちがどこにいるかを知っている。公然とそこに立っているはずだ。

やがて全員が持ち場を指示される。その全員に私は含まれていない。これはなじみのない感覚だ。私はしばらく手すりにもたれ、下の大ホールをのぞき込む。その石灰岩製の洞窟にわずか数名の声しか響きわたっていない時間にはどんな音がするのかと耳を傾ける。ルーシーとエミリーが雑談をしながら、指をくねらせてゴム手袋をはめ、テーブル作業の準備をしている。そこでは、ほかの日と同じ一日が始まろうとしている。

私は、最初の勤務日から最後の勤務日までの間に変わったこと、変わらなかったことを考える。アーダはもう退職した。トロイもいない。携帯品預り所の主だったランディはこの世を去った。ジョニー・ボタンも。また、いくつかの展示エリアが改装された。新たな物品が何百と収蔵された。それでも全体的に見れば、五〇世紀にわたる芸術作品がわずか一〇年分古くなっただけだ。メトロポリタン美術館が変わったように見えるとすれば、それはたいてい見る人が変わったからである。

やがて一〇時の開館時間になったので、あちこちをぶらつくことにする。警備員なのに明確な居場所がないというのは珍しい。私は階段を降り、朝早くからやって来る典型的な一般客の間を通り抜けていく。カメラを抱えて駆けていく観光客。あまりの壮大さに驚き、どこから見るべきか迷っている芸術愛好家。恐竜や憲法の原本、あるいは自分でもよくわかっていないものを見ようとわくわくしながらやって来たが、それらの場所がわからず途方に暮れ、親切な警備員が助けてくれないかと思っている初心者たち。

私は発券所を通り過ぎて古代ギリシャ美術の展示エリアに向かい、彩色された古代の壺の展示室へ入り込む。ここから最後の美術館ツアーを始めるのがいい。そこには、戸外で働き、ヤギを飼い、ソクラテスを知っていた無名の誰かが、土を火で焼き、絵を描いた壺がある。家で使う油やワインを入れていた粗末な容器だが、その表面に、人生や死の光景、あるいは神々の姿が描かれている。

サルディスにあったアルテミス神殿の巨大な大理石柱の前を通り過ぎ、私は最後にもう一度、古代ローマの遺物の陳列室を周遊する。大理石に彫られたり硬貨に刻印されたりした多くの皇帝は、いまだに区別がつかない。ある胸像が注意を引く。立派な古代ローマ人の彫りの深い顔がそこにある。だがそれは実際のところ、これらの遺物の間に時折姿を見せる同僚たちと、さほど違いはない（私はそんな鑑賞の間に「やあ、ロニー」「どうも、パイクさん」などと声をかける）。

そこから右へ曲がり、古代世界を離れてオセアニアの海のうねりへ跳び込む。スリットの入ったゴング、トーテムポール、一〇人乗りのカヌー、遠くの島国の世界でお金として使われた、六万本もの赤い羽毛を輪形に編んで巻いたもの。このような展示室は、あと一〇〇回来ても飽きないだろう。だがその一方で、自分がこの美術館の壁の向こう側にある世界をほとんど見てこなかったことを思い知らされもする。

そこからさらに右へ曲がり、装飾芸術の展示エリアとヨーロッパ彫刻の展示エリアを通り抜ける。ヨーロッパ彫刻のところでは、ペルセウスがメドゥーサの首を高々と掲げている。切断された首と言えば、次に通り抜けたフランスのアンシャン・レジーム期の展示エリアでは、どの展示室もギロチンのにおいがした。そして金箔を貼った美しい装飾品を横目に、大聖堂のような中世美術の展示エリアに入る。疫病と宗教の時代である。そこは、これまでに劣らず荘厳だが、なじみのある居心地のいい感じもする。実際、このセクションAの同僚が持ち場であくびをしているのが見える。一班の持ち場Bに近づき、コリンズ氏を引き止めて長話をする。彼女はどうやら私が退職するのを知らなかったらしく、自分が最近指導した警備員を私に紹介してくる。私はその若い女性に、「こんにちは」と「ようこそ」ぐらいしか言えなかった。だが、またいつかこの二人に会うこともあるかもしれない。

＊

さらに武器と鎧の展示エリアに突き進んでいくと、携帯電話が鳴った。ジョセフからのメールで、「ファン・ゴッホ」とだけ書いてある。了解。私はきびすを返してこれまでの道を戻り、近代美術の展示エリアにあるエレベーターへと向かう。警備員として働くうちに、足の保護のため階段を避ける習慣が身についている。二階に上がると、ピカソの絵のところで左に曲がり、セザンヌの絵のところで右に曲がって立ち止まる。するとそこから、昔ながらの恰好で扉の側柱にもたれながら物思いに耽っているジョセフの姿が見える。この美術館が収蔵するゴッホ絵画のおよそ半分が、そのジョセフを囲んでいる。ひまわりの絵、夾竹桃の絵、シンプルな白い花瓶に挿したアイリスの絵、ジャガイモの皮をむいている農婦の絵、カフェの経営者ジヌー夫人の絵、ひざまずいて幼い娘を初めて歩かせようとしている農民の絵、そして最後に、長らく苦労を重ねてきた自身の肖像画がある。大きな麦わら帽子をかぶり、赤いひげと澄んだ目をしたその姿が、観光客と並んで自撮り写真に収められている。

「そこの警備員さん、パーソナルに行きますか？」。私はそう言い、ジョセフがびくっとしている姿を見ながら、ずんずん展示室を横切っていく。ジョセフが笑い声をあげる。「パーソナル」というのは、一〇分間のトイレ休憩のことだ。

「大丈夫だよ、ありがとう！」

私たちは夾竹桃の絵のそばに立ち、NBAのプレーオフの話や、ジョセフが熱心に勧めてくるスタンダールの小説の話、最近生まれたジョセフの孫の話、間もなくやって来るルイーズの三回目の誕生日パーティの話、時間がたつのは早いという話など、あてどない雑談をする。この美術館を離れれば、地球の反対側で生まれた二倍も年上の親友に巡り会える機会などまずない。私はそれを痛感する。メトロポリタン美術館の警備員の間では、そんな人間関係は珍しくもなかった。ジョセフから離れるのが寂しいわけではない。会おうと思えばいつでも会える。だが、そうしたくてたまらなくなるだろう。それに、時間を持て余している同僚たちと日々時間の過ぎ行くままに交わしてきた、のんびりとした、愛情のこもった会話ができなくなるのも寂しい。私たちはよく、「何もすることがない仕事なのに一日中その仕事をしている」と冗談を言ったものだった。

一五分ほど過ぎたころ、ジョセフが私のほうを向いて言う。「あのさ、本当にパーソナルをとってもいいかな」。私が快諾すると、ジョセフは私を一人持ち場に残して離れていく。私は、こうして持ち場に立つことができなくなるのも寂しく思う。もちろん、ゴッホの絵を見に来ることはできる。だがそんな形でここへ戻ってきたとしても、触れたくてうずうずしている来館者の指を見張るわけではない。この絵は本物なのかと誰かが自分に尋ねてくることもない。見知らぬ人が近づいてきて、言葉に詰まりながら自分の考えや思いを（耳を傾けてくれる）自分に伝えてくることもない。私が次にここを訪れるときは、ただの来館者だ。いつでも自由にその場を離れ、次の展示室に移動できる。八時間も一二時間もその場でぼんやり立っていることはない。

芸術に関するさまざまな本を読んでいていちばん感銘を受けたのは、フィンセント・ファン・ゴッホが一八八四年にアムステルダム国立美術館を訪れたときのエピソードだ。どうやらゴッホは、美術館に足を運んでは同行者の足手まといになるような人物だったらしい。このエピソードのときの同行者は、友人の画家アントン・ケルセマーケルである。ケルセマーケルによれば、ゴッホはレンブラントの『ユダヤの花嫁』の前にずっといた」という。

その場所から彼を引き離すことはできなかった。彼はそこへ行くと、ゆったりと腰を下ろす。私がほかの絵を見に行こうとすると、「ぼくはここにいるから、ここへ戻ってきて」と言う。

私はかなり時間がたってから戻ると、一緒にほかの絵を見ないかと誘ってみた。すると彼は驚いたような顔でこう言った。「きみには信じられないかもしれないが、本当にこう思っているんだ。堅くなったパンを一切れだけ持って、この絵の前に二週間ずっと座っていられるのなら、自分の一〇年分の人生を捧げても惜しくない」。そしてようやく立ち上がると、こう続けた。「大丈夫だよ。ここに永久にはいられないんだから。だろ？」

そう、永久にはいられない。だがそのような瞬間は汚れがなく、慰めをもたらし、心を元気づける。ゴッホのアイリスの絵を見ていると、ゴッホは自分につきまとう貧困や不安から逃れ、そんな生き生きとした単純な世界を永遠に生きたいと思っていたように思える。だがやがてそこを離れ、現実に直面せざるを得なくなるときが来る。ゴッホの人生の物語が悲しいのは、ゴッホには生きるという課題に対処する力がなかったからだ。ゴッホに比べると、自分は幸運に恵まれている。そう思うと、言葉では言い表せないほど感謝したくなる。私の人生の物語は幸せなものになるような気がする。

ジョセフが戻ってきて、自分の未来や私の未来について興奮気味に話し始めると、なおさらそんな気がしてくる。ジョセフはきっぱりと言う。

「おれはここであと四年働くよ。そしたら大好きな場所に帰る。ガーナにある母親の村にね。そこで何をするかって？　朝起きて、漁師たちの様子を見物する。大漁だったらその魚を買う。不漁だったら買わない。セクションGにあるウィンスロー・ホーマーの絵、知ってるだろ？　黒人の男がいかだの上に寝てるやつ。サメがその男を取り巻いていて、遠くには嵐も見える。でもその男はすでに最悪の人生を経験しているから、そんなふうに落ち着いていられるんだ」

ジョセフはそこでその男と同じポーズをとる。

「おれもそうさ。これまでずっと家のお金で遊んできた。ケ・セラ・セラ（なるようになるさ）ってね。でもきみは、おれの若き友人であり、家族持ちの男であるきみは、ここから出て、大金持ちになろうとしてる。いや、なれなくてもいいさ。あのかわいい子どもたちを見ろよ！　きみはもう成功してる！　そうだな、オリーが一二歳になってウィージーが一〇歳になったら、ガーナに遊びに来てくれよ」

＊

それからの時間は、ばったり出会ったほかの人たちと話をして過ごした。私は、現場にいた三〇〇〇人近い警備員の大半と仲がいい。こんなふうにしていれば、いくらでも時間がつぶせる。それでも私は最後にもう一度、この紺色の制服を着ているがゆえに生まれる匿名の存在感を味わいたくもあった。そこで古の巨匠の展示エリアに向かい、フォスター氏と取引をして、その警備範囲の半分を担当させてもらうことにした。フォスター氏がある展示室に立ち、私がもう一つの展示室に立つ。私はこうして、メトロポリタン美術館のなかでもお気に入りの絵を見る機会を手に入れた。

私は美術館の警備員の仕事を辞めるにあたり、ある課題に取り組んでいた。それは、美術館でなすべきこととして、私が最初に学んだことでもあった。二十数年前、母がトムとミアと私をシカゴ美術館に連れていき、こう言ったのだ。その美術館で自分が本当に好きだと思う絵を選ぶまでは帰ってはいけない、と。

メトロポリタン美術館で一〇年を過ごしたいま、そのなかで自分が本当に好きだと思う芸術作品を決めずにここを去るわけにはいかない。私は数カ月前から、ノートに候補作を記してリストをつくり、無慈悲にそれらをふるいにかけ、メトロポリタン美術館の膨大な作品群のなかから個人的に気に入った作品を絞り込んでいった。クーロス、ンキシ、「シモネッティ」絨毯、『穀物の収穫』……。選ぶ作品は多すぎても少なすぎてもいけない。言うなれば、自分が持ち帰るのにちょうどいい数の作品を選び、私が前に進むときにその試金石として使いたい。私はこの古の巨匠の展示エリアで、どうしても外せない絵を一つ決める。一五世紀のイタリアの修道士フラ・アンジェリコが描いた『キリストの磔刑』である。

それが好きな理由の一端は、自分の好みにある。古い芸術が好きなのだ。重厚な木製パネルに塗られたテンペラ絵の具や、ひび割れた金箔の裂け目から見える赤粘土の見た感じ、あるいは古いキリスト教芸術が持つ輝かしい悲哀がいい。また、辛くはあるが、この絵がトムを思い出させてくれるところも好きだ。キリストの体は、嵐に揺れる船のマストに釘づけにされているかのようだ。それを中心に、ほかの世界が揺れ、回転しているように見える。その優美だが衰弱している体は、またしても私たちに明らかな事実を教えてくれる。私たちは死すべき存在であること、苦しむ存在であること、その苦しみのなかでの勇敢な行動が美しいこと、喪失は愛情と哀しみを引き起こすこと、である。この絵画のその部分は、神聖な芸術が担う役割をみごとに果たしている。私たちがよく知っているはずなのにいまだに理解できないでいることを、直接体験させてくれる。

だが、この修道士が描いたのは、キリストの体だけではない。十字架の下に群れ集まる見物人もまた、想像をもとに描いている。着飾った人や馬にまたがる人など、そこに集まった人物の顔は、驚くほどさまざまな反応や感情を示している。厳かな顔もあれば、好奇心旺盛な顔もある。退屈している顔もあれば、心を奪われているような顔もある。古の巨匠の絵画には、往々にしてこのような現実主義的なところがある。

W・H・オーデンは、『美術館』という詩のなかにこう記している。「恐るべき苦難」が執行されているときでさえ、「ほかの人は食事をしたり、窓を開けたり、ぼんやりと歩いたりしている」（オーデンはまた、古の巨匠についてこう記している。「苦悩に関する彼らの描写は決して間違っていない」）。私は、群衆が集まっているこの絵画の中間部分は、雑然とした日常生活を表現しているのではないかと思う。その描写は細かく、まとまりがなく、ときに単調で、ときに華やかだ。ある出来事の瞬間がいかに人目を引くものであれ、その根本にある神秘がいかに崇高なものであれ、複雑な世界はまわり続ける。この世には送るべき生活があり、私

✪図22—イタリアの修道士フラ・アンジェリコが描いた『キリストの磔刑』に寄せて。

たちはそれに追われている。

　そして最後に、いちばん下の部分である。そこでは、またしても雰囲気ががらりと変わる。思いやりのある人々が、悲しみに打ちひしがれて地面に崩れ落ちた母親の世話をしている。ただの見物人とは違い、彼らの心は同じ方向に向けられている。つまり、自分たちが役に立てるところへである。この絵画のこの最後の部分は、見習うべき模範と言える。私はこれからの人生で、ほかの人に必要とされることもあれば、ほかの人を必要とすることもあるだろう。だからそんなときには、私はほかの人にできるかぎりのことをしたいし、ほかの人も私と同じようにできるかぎりのことをしてほしい。私にはもう兄がいない。そんな形で相互に助け合える存在がいない。この絵を見て思う。兄は間違いなく、聖母マリアの様子を心配する、まじめで気が利く、称賛に値する人々の一員だったのに、と。だが私はいまでさえ、心のなかで兄の肖像を思い浮かべることができる。あの輝かしく率直な、ティツィアーノが描いた肖像画のおかげだ。あれを見ると慰められる。間違いなくその絵も、メトロポリタン美術館から持ち帰ることになりそうだ。

＊

　フォスター氏が押し出しを受けると、私は一緒に正面階段の上へと移動する。この忙しい持ち場でのいちばんいい場所はフォスター氏に任せ、私はそこからかなり離れた隅に立つ。

それでも来館者は私を見つけ、質問をしてくる。たとえば、ある若い女性が『モナ・リザ』を見たいと言う。最後にこの会話ができるとは、何てついているんだろう。

私は心から気の毒に思いながら言う。「ここにはありませんね。あれはパリにあります」

「え？　複製もないの？」

「残念ながらありません。この美術館には複製の絵は一つもないんです。ごらんになるものはみんな本物ですよ」

「じゃあ、この美術館にあるダ・ヴィンチの絵はどこなの？」

「ダ・ヴィンチの絵はアメリカに一つしかありませんが、残念ながらそれはワシントンD.C.にあります。でもここにはルネサンス時代のほかの画家の絵がたくさんありますよ」

その女性が私を見返す顔はまるで、野球の殿堂にやって来たのに「いえ、ここにベーブ・ルースのものはありませんが、一九二〇年代のほかの右翼手のものを見てもおもしろいですよ」と言われたかのようだ。私は女性をできるかぎり元気づけようと、この美術館の展示品を見て絶対にがっかりすることはないと保証する。そして、『モナ・リザ』がないことなどささいな問題でしかなく、ここを見てまわればきっと面食らって目を丸くするに違いないと伝えた。

女性は群衆に紛れて、古の巨匠の展示エリアに入っていった。柔らかな笑みを浮かべた『モナ・リザ』はここではない場所に一つしかないが、ここには見る価値のある顔がどこにでも必ずある。私はまた後ろの壁にもたれ、しばらく人間観察に戻る。そのときふと、一〇年間警備員として勤めた立場から来館者に伝えたいメッセージを、心のなかで繰り返している自分に気づく。そしてこんなことを思う。退職とともに持ち帰ることになるこのメッセージを、誰よりも自分の子どもたちに伝えたい、と。そのメッセージとはこんな内容だ。

おまえたちはいま、小さな世界に足を踏み出そうとしているが、その世界は、メソポタミア地方の干潟からパリのセーヌ川左岸のカフェまで、あるいは、人間が何かを成し遂げたほかの無数の地域にまで広がっている。まずは、その広大な全体に身を浸す。つまらない考えなど玄関に置いて美術館に出かけて、自分が無数の美しいものの間に浮かぶ取るに足らないちっぽけなしみになったような気分を心地よく味わう。

できれば、美術館がいちばん静かな午前中に出かけるのがいい。最初は誰にも（警備員にも）何も話しかけてはいけない。大きく見開いた、辛抱強い、何でも受け入れようとする目で作品を見る。ゆっくり時間をかけて、その細部をくまなく見ると同時に、その全体的な存在感や総合性にも目を向ける。自分の気持ちをうまく表現する言葉が見つからないかもしれないが、とにかくその気持ちに注意を向けるようにする。するとうまくいけば、沈黙と静寂のなかで、なじみのないもの、予期せぬものを経験することになる。

その作品の作者、文化、意図された意味をできるかぎり勉強するといい。たいていそれは、自分を謙虚な気持ちにさせてくれる。それでも、どこかの時点でふと頭のスイッチが切り替わり、自分の意見を差し挟みたくなることだろう。メトロポリタン美術館は、自分たちと同じ、誤りを犯しがちな人間たちがこの世界からつくりあげたものを、自分自身の目で見られる場所だ。おまえたちには、それらの芸術作品が提示する最大の疑問について、議論に参加する資格がある。それに、おまえたちの心のなかにある考えは誰にも聞こえないのだから、思いきったこと、疑わしいこと、聞いていられないこと、ばかばかしく思われるかもしれないことでもいいから考えてみるといい。それは、正しい答えにたどり着くためではなく、人間の心をより深く理解し、それを実人生に活かすためだ。そして、メトロポリタン美術館で好きなもの、学びがあるもの、生活の糧となるものを見つけたら、それを心に抱いてこの世界に戻ってくる。それは心のなかに収まりきれず、前に進もうとするおまえたちに重くのしかかり、おまえたちを少しだけ変えてくれる。

＊

閉館時間が来る。私はまだ正面階段の上のあの場所にいる。下の大ホールからざわめきが聞こえる。大勢の人々がコートを着たり、地図を見たりしながら、言葉を失うほど美しい世界から抜け出し、前進を続ける毎日の生活へと戻っていく。

芸術はしばしば、世界が静止してほしいと願うそんな瞬間から生まれる。来館者はいままで、きわめて美しいもの、真実なもの、荘厳なもの、痛ましいものを見てきた。それを簡単に受け流すことはできない。芸術家はそんなはかない瞬間を、時計を止めたかのように記録する。そのおかげで私たちは、はかないものばかりではなく、何世代もの生涯にわたり美しいもの、真実なもの、荘厳なもの、痛ましいもの、喜ばしいものもあるのだと信じられる。まさに、その証拠がここにある。油絵の具で描かれ、大理石に刻まれ、キルトに縫い込まれたものとして。

この世界はいまあるとおり色鮮やかで豊かであり、間違いなく存在しており、人間はそのような美しい作品を丁寧につくりあげる性質を備えている。この事実は、明白でもあり神秘的でもある。芸術は、そういった明白なものと神秘的なものの両方に取り組み、私たちに誰もが知っていることを思い出させ、見過ごされていたことを探索させる。私は、芸術の前で何時間も過ごせたことに感謝している。またいつかここに戻ってこよう。

一〇年前にこの仕事についたときには、わかっていないことがあった。人生はときに、輝かしい芸術作品のなかで監視をする警備員の仕事のように、静寂に満ちた単純なものになることがある。だが人生は、生き、もがき、成長し、創造する仕事を必死に行なう場でもある。

五時半になると擦り切れたネクタイを外し、私は勢いよく正面階段を駆け下りていった。

謝辞

映画『素晴らしき哉、人生!』のなかで、主役のジョージが現実の世界に戻り、「メアリー! メアリー!」と叫びながら、すき間風の入る古家に駆け込んでくるシーンを見たことがあるだろうか?(彼はその瞬間、喜びのあまり自分に子どもがいることも忘れている)。私はいま、妻のタラにまさにそんな感情を抱いている。タラ、きみの愛情、きみの知恵、きみの大変な努力、そのほかあらゆるものに感謝している。

両親のジムとモーリーンは、私がこれまでの人生のなかで何をしても応援してくれた。お父さん、お母さん、ありがとう。きょうだいのトムとミアは、いちばんつきあいの長い友だちであり、一緒に悪いことをした大切な仲間でもある。ありがとう、ミア。ありがとう、トム。この本はすべてトムに向けて書いた。

この本を執筆できたのは、私の代理人であるファーリー・チェイスと、私の編集者であるイーモン・ドーランのおかげだ。ファーリーは、何のアイデアもなかった私に賭けてくれた(本当にどうすればいいのかわからなかった)。指導者として、また代理人として、義務以上の仕事をしてくれた。イーモンは、私と同じぐらいメトロポリタン美術館を愛しており、私が送ったすべての文章を、鋭敏な判断力を駆使しながら熱心に読んでくれた。そしていつも「すばらしい!」と言い、赤ペンを取って私の努力を後押ししてくれた。ファーリー、イーモン、ありがとう。また、本書の制作の一翼を担ってくれたツィポーラ・ベイチら、サイモン&シュスター社の方々にも礼を述べたい。

メトロポリタン美術館の警備員の方々には感謝の気持ちでいっぱいだ。第三七地区委員会一五〇三支部の男女の方々、あなたがたの物語や知恵を教えてくれて、またとても大切な仕事をしてくれてありがとう。親しかった人たちには、何度でも直接会って礼を言うつもりだ。メトロポリタン美術館のほかのスタッフにも感謝している。守衛や学芸員、購入担当者、売店の店員、そのほかこの施設の運営に携わっている無数の人々である。あなたがたがいなければ、レンブラントの魅力も伝わらない。

本書でイラストを担当してくれたマヤ・マクマホンはいつも、繊細かつ生き生きとした絵を提供してくれた。マヤ、ありがとう。また、エミリー・レマキスにも感謝している(マヤが描いた彼女の「バースデーケーキ」が本書に掲載されている)。ぜひエミリーのサイト(emilielemakis.com)を訪れて、彼女の作品を購入していただきたい。

私は幸運なことに、本書の一部を試読するなど、さまざまな形で助けてくれる友人に恵まれた。メアリー・ヒーバート、アレックス・ロス、ヴィンセント・キーテメピ、ウィンストン・モライア、ルイーザ・ラム、オーウェン・カリエント、コディ・ウェストファル、ターニャ・アーラック、アーロン・ドゥーリー、サム・ゲッツ、ジョン・イー、ニック・クロフォード、キース・ミート、マイケル・ハートライン、デイヴ・シュライオック、ジャック・ハナガン、ジェイソン・ワイチ、エリー・パーキンス、コーリー・マキャフリー、ジョー・ギャラガー、ジョー・ブリンググリー、キャシー・ブリンググリー、みんなありがとう。また、長年にわたりすばらしい教師にも恵まれた。トム・オキーフ、ジェイムズ・パイン、ジェリー・サンダース、レベッカ・ガズ・ヒーリー、ステイシー・パイズ、本当にありがとう。

さらに、私の謝辞など必要ないだろうが、どうしても感謝を伝えないではいられない人たちがいる。古代から現代までの無数の芸術家たちだ。その絵画や彫刻、スケッチ、写真、陶磁器、キルト、モザイク画、版画、装飾芸術は、メトロポリタン美術館を埋め尽くしている。そんなことは、決して簡単にはできなかったはずだ。ブラボー！

そして最後に、私の子どもたちに感謝の気持ちを伝えたい。オリヴァー、ルイーズ、おまえたちがいてくれてうれしい。おまえたちを愛している。間もなく一冊の本を書きあげた父親になるのがとても楽しみだ。

年 11 月 10 日から 2011 年 4 月 10 日までメトロポリタン美術館で開催された展覧会にあわせて出版。

◇『未完』展覧会

［1］Baum, Kelly, Andrea Bayer, and Sheena Wagstaff. *Unfinished: Thoughts Left Visible*. New York: Metropolitan Museum of Art, 2016. 2016 年 3 月 18 日から 9 月 4 日までメット・ブロイヤーで開催された展覧会にあわせて出版。

◇ミケランジェロの展覧会

［1］Bambach, Carmen C., ed. *Michelangelo: Divine Draftsman & Designer*. New York: Metropolitan Museum of Art, 2017. 2017年11月13日から2018年2月12日までメトロポリタン美術館で開催された展覧会にあわせて出版。
［2］Buonarroti, *Michelangelo. Michelangelo's Notebooks: The Poetry, Letters, and Art of the Great Master*. Edited by Carolyn Vaughan. New York: Black Dog & Leventhal, 2016.
［3］Gayford, Martin. *Michelangelo: His Epic Life*. London: Fig Tree, 2013.
［4］King, Ross. *Michelangelo and the Pope's Ceiling*. New York: Walker, 2003（訳注：邦訳は『システィナ礼拝堂とミケランジェロ』ロス・キング著、田辺希久子訳、東京書籍、2004年）.

◇近代・現代美術

［1］*Sw!pe Magazine*, Spring 2010.
［2］*Sw!pe Magazine*, Spring 2011.
［3］*Sw!pe Magazine*, Spring 2012.
［4］Tinterow, Gary, and Susan Alyston Stein, eds. *Picasso in the Metropolitan Museum of Art*. New York: Metropolitan Museum of Art; New Haven: Yale University Press, 2010. 2010年4月27日から8月1日までメトロポリタン美術館で開催された展覧会にあわせて出版。

◇楽器

［1］Morris, Frances. *Catalogue of the Crosby Brown Collection of Musical Instruments* Vol. II, Oceania and America. New York: Metropolitan Museum of Art, 1914.
［2］Winans, Robert B., ed. *Banjo Roots and Branches*. Champaign: University of Illinois Press, 2018.

◇写真

［1］Daniel, Malcolm. *Stieglitz, Steichen, Strand: Masterworks from the Metropolitan Museum of Art*. New York: Metropolitan Museum of Art, 2010. 2010

February 16, 1980, 24.
[6] "Five 17th Century Miniatures Are Stolen from Locked Case in Metropolitan Museum." *New York Times*, July 26, 1927, 1.
[7] Gage, Nicholas. "How the Metropolitan Acquired 'The Finest Greek Vase There Is.' " *New York Times*, February 19, 1973, 1.
[8] Gupte, Pranay. "$150,000 Art Theft is Reported by Met." *New York Times*, February 11, 1979, 1.
[9] Hoving, Thomas. *Making the Mummies Dance: Inside the Metropolitan Museum of Art*. New York: Simon & Schuster, 1993（訳注：邦訳は『ミイラにダンスを踊らせて　メトロポリタン美術館の内幕』トマス・ホーヴィング著、東野雅子訳、白水社、2000年）.
[10] "Lost to the Art Museum; A Pair of Gold Bracelets Missing from the Collection." *New York Times*, September 18, 1887, 16.
[11] "Lost Goddess Neith Found in Pawnshop; Rare Idol of Ancient Egypt Stolen from Metropolitan Museum Pledged for 50 Cents." *New York Times*, April 24, 1910, 7.
[12] McFadden, Robert D. "Met Museum Becomes Lost and Found Dept. for 2 Degas Sculptures." *New York Times*, February 10, 1980, 38.
[13] "Metropolitan Art Thief Balked, but a Gang in France Succeeds." *New York Times*, April 23, 1966, 1.
[14] "Metropolitan Museum Employee Is Held in Theft of Ancient Jewels." *New York Times*, January 25, 1981, 29.
[15] "Museum Exhibits Come to Life Outdoors as Artful Guards Picket for Wage Rise." *New York Times*, July 3, 1953, 8.
[16] "Museum Is Robbed of a Statuette of Pitt Between Rounds of Guards." *New York Times*, February 5, 1953, 25.
[17] "On (Surprisingly Quiet) Parisian Night, a Picasso and a Matisse Go Out the Window." *New York Times*, May 20, 2010.
[18] Phillips, McCandlish. "Hole Poked in $250,000 Monet at Metropolitan, Suspect Seized." *New York Times*, June 17, 1966, 47.
[19] "Thief Takes a 14th Century Painting from Wall at Metropolitan Museum." *New York Times*, March 23, 1944, 14.
[20] "$3,000 Prayer Rug Is Stolen in Museum but Guard Finds It Hidden Under Man' s Coat." *New York Times*, December 16, 1946, 28.
[21] Tomkins, Calvin. *Merchants and Masterpieces: The Story of the Metropolitan Museum of Art*. New York: Dutton, 1970.

［9］Vermeule, Emily. *Aspects of Death in Early Greek Art and Poetry*. Berkeley: University of California Press, 1979.

◇イスラム美術

［1］Chittick, William C. *Ibn ʻArabi: Heir to the Prophets*. Oxford: Oneworld, 2005.
［2］Chittick, William C. *Science of the Cosmos, Science of the Soul: The Pertinence of Islamic Cosmology in the Modern World*. Oxford: Oneworld, 2007.
［3］Ekhtiar, Maryam D., Priscilla P. Soucek, Sheila R. Canby, and Navina Najat Haidar, eds., *Masterpieces from the Department of Islamic Art in The Metropolitan Museum of Art*. New York: Metropolitan Museum of Art, 2011. 2011年11月1日の「アラブ地域、トルコ、イラン、中央アジア、および後期南アジアの美術」の展示室の再開にあわせて出版。
［4］Kennedy, Randy. "History' s Hands." *New York Times*, March 17, 2011.
［5］Muslu, Cihan Yuksel. *The Ottomans and the Mamluks: Imperial Diplomacy and Warfare in the Islamic World*. New York: I. B. Tauris, 2014.
［6］Nicolle, David. *The Mamluks*: 1250–1517. London: Osprey, 1993.
［7］Sutton, Daud. *Islamic Design: A Genius for Geometry*. New York: Bloomsbury, 2007（訳注：邦訳は『イスラム芸術の幾何学　天上の図形を描く』ダウド・サットン著、武井摩利訳、創元社、2011年）.

◇メトロポリタン美術館の歴史

［1］"Art Stolen in 1944 Mailed to Museum; 14th Century Painting on Wood Returned to Metropolitan with No Explanation. Panel Broken in Transit. Package Carelessly Wrapped—Expert Believes Damage Can Be Repaired." *New York Times*, January 19, 1949, 29.
［2］Barelli, John, with Zachary Schisgal. *Stealing the Show: A History of Art and Crime in Six Thefts*. Guilford, CT: Lyons Press, 2019.
［3］Bayer, Andrea, and Laura D. Corey, eds. *Making the Met*: 1870–2020. New York: Metropolitan Museum of Art, 2020. 2020年8月29日から2021年2月3日までメトロポリタン美術館で開催された展覧会にあわせて出版。
［4］"The Cesnola Discussion; More About the Patched-up Cypriote Statues." *New York Times*, April 10, 1882, 2.
［5］Daniels, Lee A. "3 Held in Theft of Gold Ring from Met." *New York Times*,

◇ジーズベンドの展覧会

〔1〕Beardsley, John, William Arnett, Paul Arnett, and Jane Livingston. *The Quilts of Gee's Bend*. Atlanta: Tinwood Books, 2002.

〔2〕Finley, Cheryl, Randall R. Griffey, Amelia Peck, and Darryl Pinckney. *My Soul Has Grown Deep: Black Art from the American South*. New York: Metropolitan Museum of Art, 2018. 2018年5月22日から9月23日までメトロポリタン美術館で開催された『*History Refused to Die: Highlights from the Souls Grown Deep Foundation Gift*（消滅を拒む歴史――ソウルズ・グロウン・ディープ財団寄贈品秀作展）』にあわせて出版。

〔3〕Holley, Donald. "The Negro in the New Deal Resettlement Program." *Agricultural History* 45 (July 1971): 179–93.

◇ギリシャ美術

〔1〕Bremmer, Jan. *The Early Greek Concept of the Soul*. Princeton, NJ: Princeton University Press, 1983.

〔2〕Estrin, Seth. "Cold Comfort: Empathy and Memory in an Archaic Funerary Monument from Akraiphia." *Classical Antiquity* 35 (October 2016): 189–214. https://doi.org/10.1525/ca.2016.35.2.189.

〔3〕Griffin, Jasper. *Homer on Life and Death*. Oxford: Clarendon Press, 1980.

〔4〕Homer. *The Iliad*. Translated by Robert Fagles. New York: Viking Penguin, 1990（訳注：原典の邦訳は『イリアス』ホメロス著、松平千秋訳、岩波書店、1992年など）.

〔5〕Homer. *The Odyssey*. Translated by Robert Fagles. New York: Viking Penguin, 1996（訳注：原典の邦訳は『オデュッセイア』ホメロス著、松平千秋訳、岩波書店、1994年など）.

〔6〕Kirk, G. S., and J. E. Raven. *The Presocratic Philosophers: A Critical History with a Selection of Texts*. Cambridge: Cambridge University Press, 1957（訳注：邦訳は『ソクラテス以前の哲学者たち』G・S・カーク、J・E・レイヴン、M・スコフィールド著、内山勝利・木原志乃・國方栄二・三浦要・丸橋裕訳、京都大学学術出版会、2006年）.

〔7〕Otto, Walter F. *The Homeric Gods: The Spiritual Significance of Greek Religion*. Translated by Moses Hadas. New York: Pantheon, 1954.

〔8〕Sourvinou-Inwood, Christiane. *"Reading" Greek Death: To the End of the Classical Period*. Oxford: Clarendon Press, 1995.

ヤング美術館（サンフランシスコ美術館の一部）で、2006年3月28日から7月9日までメトロポリタン美術館で、2006年8月27日から12月31日までキンベル美術館（アメリカ、テキサス州フォートワース）で開催された展覧会にあわせて出版。

◇ヨーロッパ美術

［1］Ainsworth, Maryan W., and Keith Christiansen, eds. *From Van Eyck to Bruegel: Early Netherlandish Painting in the Metropolitan Museum of Art*. New York: Metropolitan Museum of Art, 1998. メトロポリタン美術館収蔵品の重要作品のカタログとして出版。1998年9月22日から1999年1月3日まで開催されたそれらの作品の展覧会のカタログも兼ねている。

［2］Bayer, Andrea. "North of the Apennines: Sixteenth-Century Italian Painting in Venice and the Veneto." *Metropolitan Museum of Art Bulletin* 63 (Summer 2005).

［3］Christiansen, Keith. *Duccio and the Origins of Western Painting*. New York: Metropolitan Museum of Art; New Haven: Yale University Press, 2008.

［4］Freedberg, Sydney Joseph. *Painting of the High Renaissance in Rome and Florence*. New York: Harper & Row, 1972.

［5］Gogh, Vincent van. *Van Gogh: A Self-Portrait. Letters Revealing His Life as a Painter*. Selected by W. H. Auden. Greenwich, CT: New York Graphic Society, 1961.

［6］Kanter, Laurence, and Pia Palladino. *Fra Angelico*. New York: Metropolitan Museum of Art; New Haven: Yale University Press, 2005. 2005年10月26日から2006年1月29日までメトロポリタン美術館で開催された展覧会にあわせて出版。

［7］Kerssemakers, Anton. Letter to the editor, *De Groene*, April 14, 1912. In *Van Gogh's Letters: Unabridged and Annotated*. Edited by Robert Harrison. Translated by Johanna van Gogh-Bonger. Rockville, MD: Institute for Dynamic Educational Advancement. http://www.webexhibits.org/vangogh/letter/15/etc-435c.htm.

［8］Orenstein, Nadine M., ed. *Pieter Bruegel the Elder: Drawings and Prints*. New York: Metropolitan Museum of Art; New Haven: Yale University Press, 2001. 2001年5月24日から8月5日までボイマンス・ヴァン・ベーニンゲン美術館（オランダ、ロッテルダム）で、2001年9月25日から12月2日までメトロポリタン美術館で開催された展覧会にあわせて出版。

［9］Strehlke, Carl Brandon. *Italian Paintings 1250-1450 in the John G. Johnson Collection and the Philadelphia Museum of Art*. Philadelphia: Philadelphia Museum of Art; University Park, PA: Penn State University Press, 2004.

◇武器・鎧

〔1〕 Rasenberger, Jim. *Revolver: Sam Colt and the Six-Shooter That Changed America*. New York: Scribner, 2020.

◇アジア美術

〔1〕 Bush, Susan, and Hsio-yen Shih, eds. *Early Chinese Texts on Painting*. Cambridge, MA: Harvard-Yenching Institute, Harvard University Press, 1985.
〔2〕 Fong, Wen C. *Beyond Representation: Chinese Painting and Calligraphy 8th-14th Century*. New York: Metropolitan Museum of Art; New Haven: Yale University Press, 1992.
〔3〕 Foong, Ping. "Guo Xi's Intimate Landscapes and the Case of *Old Trees, Level Distance*." *Metropolitan Museum Journal* 35 (2000): 87–115. https://doi.org/10.2307/1513027.
〔4〕 Hammer, Elizabeth. *Nature Within Walls: The Chinese Garden Court at the Metropolitan Museum of Art. A Resource for Educators*. New York: Metropolitan Museum of Art, 2003.

◇修道院などの中庭

〔1〕 Barnet, Peter, and Nancy Wu. *The Cloisters: Medieval Art and Architecture*. New York: Metropolitan Museum of Art, 2005.

◇エジプト美術

〔1〕 Arnold, Dieter. *Temples of the Last Pharaohs*. New York: Oxford University Press, 1999.
〔2〕 Assmann, Jan. *The Mind of Egypt: History and Meaning in the Time of the Pharaohs*. Translated by Andrew Jenkins. New York: Metropolitan Books, 2002.
〔3〕 Roehrig, Catharine H. *Life Along the Nile: Three Egyptians of Ancient Thebes*. *Metropolitan Museum of Art Bulletin* 60 (Summer 2002).
〔4〕 Roehrig, Catharine H., with Renee Dreyfus and Cathleen A. Keller, eds. *Hatshepsut: From Queen to Pharaoh*. New York: Metropolitan Museum of Art; New Haven: Yale University Press, 2005. 2005年10月15日から2006年2月5日までデ・

参考文献

本書の芸術作品に関する事実情報の大半は、metmuseum.orgを参照した。各作品のページを見れば、たいていは登録情報や技術情報、関連出版物の情報が掲載されている。メトロポリタン美術館の公式出版物はほとんどが無料で利用でき、metmuseum.org/art/metpublicationsで閲覧できる。

以下の書籍や記事は、分野ごとにまとめて掲載している。

◇アフリカ美術

［1］Ezra, Kate. *Royal Art of Benin: The Perls Collection in the Metropolitan Museum of Art*. New York: Metropolitan Museum of Art, 1992. 1992年1月16日から9月13日までメトロポリタン美術館で開催された展覧会にあわせて出版。

［2］LaGamma, Alisa, ed. *Kongo: Power and Majesty*. New York: Metropolitan Museum of Art, 2015. 2015年9月18日から2016年1月3日までメトロポリタン美術館で開催された展覧会にあわせて出版。

［3］Neyt, Francois. *Songye: The Formidable Statuary of Central Africa*. Translated by Mike Goulding, Sylvia Goulding, and Jan Salomon. New York: Prestel, 2009.

◇アメリカ美術

［1］Belson, Ken. "A Hobby to Many, Card Collecting Was Life' s Work for One Man." *New York Times*, May 22, 2012.

［2］Flexner, James Thomas. *First Flowers of Our Wilderness*. Volume 1 of *American Painting*. Boston: Houghton Mifflin, 1947.

［3］Garrett, Wendell D. "The First Score for American Paintings and Sculpture, 1870–1890." *Metropolitan Museum Journal* 3 (1970): 307–35. https://doi.org/10.2307/1512609.

［4］O' Neill, John P., Joan Holt, and Dale Tuckers, eds. *A Walk Through the American Wing*. New York: Metropolitan Museum of Art; New Haven: Yale University Press, 2001.

1960年代半ば〜後期／ティン・ムウェレン／アンブリム族、バヌアツ［1975.93］
カヌー Canoe：1961年／チナサピッチ族長／アスマット族、インドネシア［1978.412.1134］
ビスポール Bis Pole：1960年ごろ／ジェウェル／アスマット族、インドネシア［1978.412.1248］
輪形のお金（テバウ） Money Coil (*Tevau*)：19世紀後期〜20世紀初期／ソロモン諸島［2010.326］
『メドゥーサの頭を掲げるペルセウス』 *Perseus with the Head of Medusa*：1804〜1806年／アントニオ・カノーヴァ／イタリア［67.110.1］
ヴァランジュヴィル邸の建具 Boiserie from the Hôtel de Varengeville：1736〜1752年ごろ（のちに手を加えた部分もある）／フランス［63.228.1］
『ひまわり』 *Sunflowers*：1887年／フィンセント・ファン・ゴッホ／オランダ［49.41］
『夾竹桃と本のある静物』 *Oleanders*：1888年／フィンセント・ファン・ゴッホ／オランダ［62.24］
『アイリス』 *Irises*：1890年／フィンセント・ファン・ゴッホ／オランダ［58.187］
『ジャガイモの皮むき』（『麦わら帽子をかぶった自画像』の裏面） *The Potato Peeler* (reverse of *Self-Portrait with a Straw Hat*)：1885年／フィンセント・ファン・ゴッホ／オランダ［67.187.70b］
『アルルの女（ジヌー夫人）』 *L'Arlésienne: Madame Joseph-Michel Ginoux*：1888〜1889年／フィンセント・ファン・ゴッホ／オランダ［51.112.3］
『歩き始め』 *First Steps, after Millet*：1890年／フィンセント・ファン・ゴッホ／オランダ［64.165.2］
『麦わら帽子をかぶった自画像』（『ジャガイモの皮むき』の表面） *Self-Portrait with a Straw Hat* (obverse of *The Potato Peeler*)：1887年／フィンセント・ファン・ゴッホ／オランダ［67.187.70a］
『イサクとリベカ（ユダヤの花嫁）』 *Isaac and Rebecca, known as "The Jewish Bride"*：1665〜1669年ごろ／レンブラント・ファン・レイン／オランダ［アムステルダム国立美術館］
『メキシコ湾流』 *The Gulf Stream*：1899年（1906年に加筆）／ウィンスロー・ホーマー／アメリカ［06.1234］
『キリストの磔刑』 *The Crucifixion*：1420〜1423年ごろ／フラ・アンジェリコ（グイード・ディ・ピエトロ）／イタリア［43.98.5］

Painting of the Sistine Ceiling: 1509 〜 1510年ごろ／ミケランジェロ・ブオナローティ／イタリア［カーサ・ブオナローティ（イタリア、フィレンツェ）］
『リビアの巫女の習作（表）』 *Studies for the Libyan Sibyl (recto)*: 1510 〜 1511年ごろ／ミケランジェロ・ブオナローティ／イタリア［24.197.2］
『ピエタ像の構成のためのスケッチ』 *Sketches for Compositions of the Pietà and the Entombment*: 1555 〜 1560年ごろ／ミケランジェロ・ブオナローティ／イタリア［アシュモレアン博物館（イギリス、オックスフォード）］
『サン・ピエトロ大聖堂のドームのための習作（表）』 *Studies for the Dome of Saint Peter's (recto)*: 1551 〜 1564年ごろ／ミケランジェロ・ブオナローティ／イタリア［リール宮殿美術館（フランス、リール）］
『フィレンツェの防備のための習作　プラト・ディ・オニッサンティのトーレ・デル・セルペ（表）』 *Studies for the Fortifications of Florence: The Torre del Serpe at the Prato di Ognissanti (recto)*: 1530年ごろ／ミケランジェロ・ブオナローティ／イタリア［カーサ・ブオナローティ（イタリア、フィレンツェ）］
『ロンダニーニのピエタ』 *Pietà Rondanini*: 1552 〜 1564年／ミケランジェロ・ブオナローティ／イタリア［スフォルツェスコ城（イタリア、ミラノ）］
縞のある屋根と積みレンガのキルト Housetop and Bricklayer with Bars Quilt : 1955年ごろ／ルーシー・T・ペットウェイ／アメリカ［2014.548.52］
丸太小屋のキルト Log Cabin Quilt : 1935年ごろ／メアリー・エリザベス・ケネディ／アメリカ［2014.548.44］
不精女の縞のキルト Lazy Gal Bars Quilt : 1965年ごろ／ロレッタ・ペットウェイ／アメリカ［2014.548.50］

13……持ち帰れるだけ

『マリウスの凱旋』 *The Triumph of Marius*: 1729年／ジョヴァンニ・バッティスタ・ティエポロ／イタリア［65.183.1］
テラコッタ製のネック・アンフォラ　表：ヘルメスと女神に挟まれたアポロン　裏：エチオピアの郷士に挟まれたメムノン Terra-cotta Neck-Amphora. Obverse: Apollo between Hermes and Goddess; reverse: Memnon between His Ethiopian Squires : 紀元前530年ごろ／ギリシャ［98.8.13］
サルディスのアルテミス神殿の大理石柱 Marble Column from the Temple of Artemis at Sardis : 紀元前300年ごろ／ギリシャ［26.59.1］
ある男の大理石胸像 Marble Bust of a Man : 紀元後1世紀半ば／ローマ［12.233］
スリットの入ったゴング（アティンティン・コン） Slit Gong (*Atingting kon*) :

／コルト製造会社／アメリカ［59.143.4］
『マダムＸの肖像（ピエール・ゴートロー夫人）』 *Madame X (Madame Pierre Gautreau)*：1883～1884年／ジョン・シンガー・サージェント／アメリカ（イタリア出身）［16.53］
『北東の風』 *Northeaster*：1895年（1901年に加筆）／ウィンスロー・ホーマー／アメリカ［10.64.5］
『母と子（昼寝から目覚めた幼児）』 *Mother and Child (Baby Getting Up from His Nap)*：1899年ごろ／メアリー・カサット／アメリカ［09.27］

11………未完

『穀物の収穫』 *The Harvesters*：1565年／ピーテル・ブリューゲル（父）／フランドル［19.164］
『聖バルバラ』 *Saint Barbara*：1437年／ヤン・ファン・エイク／フランドル［アントワープ王立美術館（ベルギー、アントワープ）］
『無題』 *Untitled*：2009年／ケリー・ジェイムズ・マーシャル／アメリカ［イエール大学美術館（アメリカ、コネチカット州ニューヘイブン）］
『黒人召集兵（ジェイムズ・ハンター）』 *Black Draftee (James Hunter)*：1965年／アリス・ニール／アメリカ［COMMA財団（ベルギー、ダンメ）］
『「無題」（ロサンゼルスに暮らすロスの肖像）』 *"Untitled" (Portrait of Ross in L.A.)*：1991年／フェリックス・ゴンザレス＝トレス／アメリカ（キューバ出身）［シカゴ美術館］
『汚れた花嫁、あるいはモプススとニサの結婚式』 *The Dirty Bride or The Wedding of Mopsus and Nisa*：1566年ごろ／ピーテル・ブリューゲル（父）／フランドル［32.63］

12………日々の仕事

『聖ペテロの模写　腕の習作（表）、手と前腕の骨格、男性の胴、および右前腕（裏）』 *Study after Saint Peter, with Arm Studies (recto); Skeleton of a Hand with Forearm, Male Torso, and Right Forearm (verso)*：1493～1494年ごろ／ミケランジェロ・ブオナローティ／イタリア［ミュンヘン州立版画素描館（ドイツ、ミュンヘン）］
『ソネット「ジョヴァンニ・ダ・ピストイアへ」およびシスティナ礼拝堂の天井画を描く自分の戯画』 *Sonnet "To Giovanni da Pistoia" and Caricature on His*

Hank Aaron, from the Bazooka "Blank Back" Series (R414–15) : 1959年／トップス・チューイングガム・カンパニー／アメリカ［63.350.329.414–15.14］

ホーナス・ワグナー（ホワイト・ボーダー・シリーズ［T206］より） Honus Wagner, from the White Border Series (T206) : 1909～1911年／アメリカン・タバコ・カンパニー／アメリカ［63.350.246.206.378］

マイク・「キング」・ケリー（ワールズ・チャンピオンズ・シリーズ1［N28］より） Mike "King" Kelly, from World's Champions, Series 1 (N28) : 1887年／アレン&ギンターズ・シガレッツ社／アメリカ［63.350.201.28.3］

ジャック・マギーチー（ゴールド・コイン・シリーズ［N284］より） Jack M'Geachy, from the Gold Coin Series (N284) : 1887年／ゴールド・コイン・チューイング・タバコ社／アメリカ［63.350.222.284.62］

ギター Guitar : 1937年／ヘルマン・ハウザー／ドイツ［1986.353.1］

ケマンチェ Kamanche : 1869年ごろ／イラン［89.4.325］

琴 Koto : 20世紀／日本［1986.470.3］

求愛笛（シヨタンカ） Courting Flute (*siyotanka*) : 1850～1900年ごろ／スー族［89.4.3371］

ハープシコード Harpsichord : 1670年ごろ／ミケーレ・トディーニ（設計）、バジリオ・オノフリ（金彩細工）、ヤコブ・レイフ（彫刻）／イタリア［89.4.2929a-e］

バイオリン「ザ・グールド」 "The Gould" violin : 1693年／アントニオ・ストラディヴァリ／イタリア［55.86a-c］

カニャフテ・カノワ（カミツキガメの甲羅のガラガラ） Kanyáhte' ká'nowa' (Snapping turtle shell rattle) : 19世紀／イロコイ族［06.1258］

バンジョー Banjo : 1850～1900年ごろ／アメリカ［89.4.3296］

コラ Kora : 1960年ごろ／ママドゥ・クヤテおよびジモ・クヤテ／セネガンビア［1975.59］

サー・ジャイルズ・ケイプルの徒歩戦闘試合用かぶと Foot-Combat Helm of Sir Giles Capel : 1510年ごろ／イギリスか［04.3.274］

コルト・パターソン・パーカッション・リボルバー、ナンバー3、ベルト・モデル、シリアル番号156 Colt Patterson Percussion Revolver, No.3, Belt Model, Serial 156 : 1838年ごろ／コルト製造会社／アメリカ［59.143.1a-h］

コルトM1851ネイビー・パーカッション・リボルバー、シリアル番号2 Colt Model 1851 Navy Percussion Revolver, Serial No.2 : 1850年／コルト製造会社／アメリカ［68.157.2］

「ピースメーカー」コルト・シングルアクション・アーミー・リボルバー、シリアル番号4519 "Peacemaker" Colt Single-Action Army Revolver, Serial No.4519 : 1874年

Clock : 1805 ～ 1809 年／アーロン・ウィラード父子／アメリカ［37.37.1］
マホガニーおよびストローブマツ材の掛け時計　Mahogany and White Pine Wall Clock : 1800 ～ 1810 年／サイモン・ウィラード／アメリカ［37.37.2］
マホガニー材のどんぐり形時計　Mahogany Acorn Clock : 1847 ～ 1850 年／フォレストヴィル製造会社／アメリカ［1970.289.6］
マホガニー材の灯台形時計　Mahogany Lighthouse Clock:1800～1848年／サイモン・ウィラード／アメリカ［30.120.19a, b］
マホガニー、ストローブマツ、およびユリノキ材のバンジョー形時計　Mahogany, White Pine, and Tulip Poplar Banjo Clock : 1825 年ごろ／アーロン・ウィラード・ジュニア／アメリカ［30.120.15］
マホガニー、ストローブマツ、およびユリノキ材のリラ形時計　Mahogany, White Pine, and Tulip Poplar Lyre Clock : 1822 ～ 1828 年／ジョン・ソーイン／アメリカ［10.125.391］
クルミおよびストローブマツ材の鏡　Walnut and White Pine Looking Glass : 1740 ～ 1790 年／アメリカ［25.115.41］
鋼鉄製の角砂糖ばさみ　Steel Sugar Nippers : 18 世紀／アメリカ［10.125.593］
革製の消防士用ヘルメット　Leather Fireman's Helmet : 1800 ～ 1850 年／アメリカ［10.125.609］
革製の消防士用盾　Leather Fireman's Shield:1839 ～ 1850 年／アメリカ［10.125.608］
『ジョブ・ペリット』　*Job Perit* : 1790 年／ルーベン・マウルスロップ／アメリカ［65.254.1］
『トーマス・ブルースター・クーリッジ夫人』　*Mrs. Thomas Brewster Coolidge* : 1827 年ごろ／チェスター（チャールズ）・ハーディング／アメリカ［20.75］
『ヘンリー・ラ・トゥーレット・デ・グルート』　*Henry La Tourette de Groot* : 1825 ～ 1830 年／サミュエル・ロヴェット・ウォルドーおよびウィリアム・ジュエット／アメリカ［36.114］
『海に沈む夕日』　*Sunset on the Sea* : 1872 年／ジョン・フレデリック・ケンセット／アメリカ［74.3］
大型幌馬車用ジャッキ　Conestoga Wagon Jack : 1784 年／アメリカ［53.205］
銀のトレイ　Silver Tray : 1879 年／ティファニー社／アメリカ［66.52.1］
ウィリー・メイズ　カード番号 244（トップス社のダグアウト・クイズ・シリーズ［R414-7］より）　Willie Mays, Card Number 244, from Topps Dugout Quiz Series (R414-7) : 1953 年／トップス・チューインガム・カンパニー／アメリカ［Burdick 328, R414–7.244］
ハンク・アーロン（バズーカ・「ブランク・バック」シリーズ［R414-15］より）

面頬のついたかぶと　Helmet with Aventail : 15 世紀後期～ 16 世紀／トルコ、トルクメン人の鎧の様式［50.87］
モロッコの中庭　Moroccan Court : 2011 年（造園）、14 世紀の様式／モロッコ［Gallery 456］
ミフラーブ（祈祷用の壁龕）　Mihrab (Prayer Niche) : 1354 ～ 1355 年／イラン［39.20］
「シモネッティ」絨毯　The "Simonetti" carpet : 1500 年ごろ／エジプト［1970.105］
『デルビッシュの肖像』　*Portrait of a Dervish* : 16 世紀／中央アジア（現在のウズベキスタンで制作か）［57.51.27］

10………ベテラン

『サビニの女たちの掠奪』　*The Abduction of the Sabine Women* : 1633 ～ 1634 年ごろ／ニコラ・プッサン／フランス［46.160］
『デラウェア川を渡るワシントン』　*Washington Crossing the Delaware* : 1851 年／エマヌエル・ロイツェ／アメリカ（ドイツ出身）［97.34］
『シルヴァナス・ボーン夫人』　*Mrs. Sylvanus Bourne* : 1766 年／ジョン・シングルトン・コプリー／アメリカ［24.79］
シェーカー様式の食卓　Shaker Dining Table : 1800 ～ 1825 年／アメリカ［66.10.1］
クルミ材のティーテーブル　Walnut Tea Table : 1740 ～ 1790 年／アメリカ［25.115.32］
マホガニー材の作業台　Mahogany Worktable : 1815 ～ 1820 年／アメリカ［65.156］
シタンおよびマホガニー材のトランプ用テーブル　Rosewood and Mahogany Card Table : 1825 年ごろ／ダンカン・ファイフの工房の作か／アメリカ［68.94.2］
メイプル材のドロップリーフ・テーブル　Maple Drop-leaf Table : 1700 ～ 1730 年アメリカ［10.125.673］
メイプルおよびマホガニー材のティルトトップのティーテーブル　Maple and Mahogany Tilt-top Tea Table : 1800 年ごろ／アメリカ［10.125.159］
サテンノキ、マホガニー、およびストローブマツ材のコンソールテーブル　Satinwood, Mahogany, and White Pine Console Table : 1815 年ごろ／アメリカ［1970.126.1］
マツおよびオーク材の架台式テーブル　Yellow Pine and Oak Trestle Table : 1640 ～ 1690 年／アメリカ［10.125.701］
オーク、マツ、およびメイプル材のチェンバーテーブル　Oak, Pine, and Maple Chamber Table : 1650 ～ 1700 年／アメリカ［49.155.2］
クルミ、ユリノキ、およびストローブマツ材の縦長時計　Walnut, Tulip Poplar, and White Pine Tall Clock : 1750 ～ 1760 年／ジョン・ウッド父子／アメリカ［41.160.369］
マホガニーおよびストローブマツ材の棚置き時計　Mahogany and White Pine Shelf

Gadsby's Tavern (the Alexandria Ballroom)：1792年／アメリカ［Gallery 719］
『ジョージ・ワシントン』 *George Washington*：1795年ごろ／ギルバート・ステュアート／アメリカ［07.160］
『デラウェア川を渡るワシントン』 *Washington Crossing the Delaware*：1851年／エマヌエル・ロイツェ／アメリカ（ドイツ出身）［97.34］
マホガニー材の肘掛けのない椅子 Mahogany Side Chair：1760～1790年ごろ／アメリカ［32.57.4］
『バースデーケーキ　ナンバー50』 *Birthday Thing Number 50*：2015年／エミリー・レマキス／アメリカ［制作者蔵］

9……クーロス

クーロス（青年）の大理石像 Marble Statue of a Kouros (youth)：紀元前590～580年ごろ／ギリシャ［32.11.1］
アキレウスの死体を運ぶアイアスを描いたテラコッタ製のネック・アンフォラ Terra-cotta Neck-Amphora, with Ajax Carrying the Body of Achilles：紀元前530年ごろ／画家「ロンドンB 235」の作か／ギリシャ［26.60.20］
アテナの大理石頭像（アテナ・メディチ） Marble Head of Athena (the Athena Medici)：紀元後138～192年ごろ／原物はペイディアス作か／ローマ、紀元前430年ごろのギリシャの彫像の複製［2007.293］
「青いコーラン」の1葉 Folio from the "Blue Quran"：紀元後850～950年ごろ／チュニジア［2004.88］
携帯用コーランの写本 Portable Quran manuscript：17世紀／イランもしくはトルコ［89.2.2156］
「『ウマル・アクタ』のコーラン」の1葉 Folio from the "Quran of 'Umar Aqta'"：1400年ごろ／「ウマル・アクタ」／中央アジア（現在のウズベキスタンで制作）［18.17.1, .2および21.26.12］
アミール・サイフ・アル＝ドゥニャ・ワル＝ディン・イブン・ムハンマド・アル＝マワルディの香炉 Incense Burner of Amir Saif al-Dunya wa'l-Din ibn Muhammad al-Mawardi：1181～1182年／ジャファル・イブン・ムハンマド・イブン・アリ／イラン［51.56］
チェスのセット Chess Set：12世紀／イラン［1971.193a-ff］
『ミーラージュ、あるいは天馬ブラークに乗るムハンマドの夜空の旅』 *The Mi'raj, or The Night Flight of Muhammad on his Steed Buraq*：1525～1535年ごろ／スルタン・ムハンマド・ヌール／イラン［1974.294.2］

『ジョージア・オキーフ　胸』 *Georgia O'Keeffe—Breasts*：1919年／アルフレッド・スティーグリッツ／アメリカ［1997.61.23］
『ジョージア・オキーフ』 *Georgia O'Keeffe*：1922年／アルフレッド・スティーグリッツ／アメリカ［1997.61.66］
『ジョージア・オキーフ』 *Georgia O'Keeffe*：1918年／アルフレッド・スティーグリッツ／アメリカ［1997.61.25］
『ジョージア・オキーフ』 *Georgia O'Keeffe*：1918年／アルフレッド・スティーグリッツ／アメリカ［28.127.1］

7………クロイスターズ美術館

ランゴンのノートルダム教会の礼拝堂 Chapel from Notre-Dame-du-Bourg at Langon：1126年ごろ／フランス［34.115.1-.269］
サン・ミシェル・ド・クサ修道院の中庭 "Cuxa" Cloister：1130〜1140年ごろ／カタロニア［25.120.398-.954］
『メロードの祭壇画』 *Annunciation Triptych (Merode Altarpiece)*：1427〜1432年ごろ／ロベルト・カンピンの工房／フランドル［56.70a-c］
クロイスターズ・クロス（ベリー・セント・エドマンズ修道院の十字架） The Cloisters Cross (Bury Saint Edmunds Cross)：1150〜1160年ごろ　イギリス［63.12］
ボンヌフォン修道院の中庭 "Bonnefont" Cloister：13世紀後期〜14世紀／フランス［25.120.531-.1052］
『穀物の収穫』 *The Harvesters*：1565年／ピーテル・ブリューゲル（父）／フランドル［19.164］

8………番人

第二合衆国銀行支店のファサード Facade of the Second Branch Bank of the United States：1822〜1824年／マーティン・ユークリッド・トンプソン／アメリカ［Gallery 700］
マサチューセッツ州ヒンガムのオールドシップ教会集会所の複製 Meeting House Gallery, Inspired by the Old Ship Church in Hingham, Massachusetts：1924年、原物は1681年／アメリカ［Gallery 713］
ハート家の住宅の1室 Room from the Hart House：1680年／アメリカ［36.127／Gallery 709］
居酒屋ギャズビーズの舞踏室（アレクサンドリア・ボールルーム） Ballroom from

[56.135.1]
サルペドンのクラテール　Sarpedon Krater：紀元前 520 ～ 510 年ごろ／エウフロニオス／ギリシャ［国立チェリテ博物館（イタリア、チェルヴェーテリ）］
ラムセス 6 世の印章指輪　Signet Ring of Ramesses VI：紀元前 1143 ～ 1136 年ごろ／エジプト、新王国［26.7.768］
ウェネティ族もしくはナムネテス族の金貨　Gold Coin of the Veneti or Namneti：紀元前 2 世紀半ば／ケルト人［17.191.120］
パリシイ族の金貨　Gold Coin of the Parisii：紀元前 2 世紀の第 4 四半期／ケルト人［17.191.121］
装身具、おそらくは衣服の締め具か袖の留め具　Ornaments, perhaps dress fasteners or sleeve fasteners：紀元前 800 年ごろ／アイルランド［47.100.9 および 47.100.10］
『道化役の踊り子』　*Dancer in the Role of Harlequin*：1920 年（鋳造）／エドガー・ドガ／フランス［29.100.411］
『アラベスク・ドゥバン』　*Arabesque Devant*：1920 年（鋳造）／エドガー・ドガ／フランス［29.100.385］
しゃがむウェヌスの大理石像　Marble Statue of a Crouching Aphrodite：紀元後 1 もしくは 2 世紀／ローマ、紀元前 3 世紀のギリシャの彫像の複製［09.221.1］
『聖母子』　*Madonna and Child*：1290 ～ 1300 年ごろ／ドゥッチョ・ディ・ブオニンセーニャ／イタリア［2004.442］
『アンデスの中心』　*Heart of the Andes*：1859 年／フレデリック・エドウィン・チャーチ／アメリカ［09.95］
『川の湾曲部』　*View from Mount Holyoke, Northampton, Massachusetts, after a Thunderstorm—The Oxbow*：1836 年／トマス・コール／アメリカ［08.228］
『冬、ニューヨークのセントラル・パーク』　*Winter, Central Park, New York*：1913 ～ 1914 年／ポール・ストランド／アメリカ［2005.100.117］
『フラットアイアン』　*The Flatiron*：1904 年／エドワード・J・スタイケン／アメリカ［33.43.39］
『新旧のニューヨーク』　*Old and New New York*：1910 年／アルフレッド・スティーグリッツ／アメリカ［58.577.2］
『ジョージア・オキーフ　手』　*Georgia O'Keeffe—Hands*：1919 年／アルフレッド・スティーグリッツ／アメリカ［1997.61.18］
『ジョージア・オキーフ　足』　*Georgia O'Keeffe—Feet*：1918 年／アルフレッド・スティーグリッツ／アメリカ［1997.61.55］
『ジョージア・オキーフ　胴』　*Georgia O'Keeffe—Torso*：1918 年／アルフレッド・スティーグリッツ／アメリカ［28.130.2］

5………異国の地

アスター・コート中国庭園 The Astor Chinese Garden Court：1981年（造園）、17世紀の様式／中国［Gallery 217］
『樹色平遠図』 *Old Trees, Level Distance*：1080年ごろ／郭熙／中国［1981.276］
『睡蓮の池に架かる橋』 *Bridge over a Pond of Water Lilies*：1899年／クロード・モネ／フランス［29.100.113］
『積みわら（雪と太陽の効果）』 *Haystacks (Effect of Snow and Sun)*：1891年ごろ／クロード・モネ／フランス［29.100.109］
『夏のヴェトゥイユ』 *Vétheuil in Summer*：1880年／クロード・モネ／フランス［51.30.3］
皇太后のペンダント・マスク Queen Mother Pendant Mask：16世紀／エド族、ナイジェリア［1978.412.323］
村の呪術用彫像（ンキシ） Community Power Figure (Nkisi)：19～20世紀／ソンゲ族、コンゴ民主共和国［1978.409］

6………生身の人間

『自画像「私」』 *Self-Portrait, "Yo"*：1900年／パブロ・ピカソ／スペイン［1982.179.18］
『347シリーズ』 *347 Suite*：1968年／パブロ・ピカソ／スペイン／受け入れ番号はそれぞれ異なる［1985.1165.38など］
『役者』 *The Actor*：1904～1905年／パブロ・ピカソ／スペイン［52.175］
『白い服の女』 *Woman in White*：1923年／パブロ・ピカソ／スペイン［53.140.4］
ヘルメスの大理石柱像の頭部 Marble Head from a Herm：紀元前5世紀後期／ギリシャ［59.11.24］
盗難されたキプロスのブレスレットの電鋳版複製 Electrotype Copy of a Stolen Cypriot Bracelet：紀元前6～5世紀につくられたブレスレットをティファニー社が複製／キプロス［74.51.3552］
ネイトの小像 Statuette of Neith：紀元前664～380年／エジプト、末期王朝［26.7.846］
『聖トマス』 *Saint Thomas*：1317～1319年ごろ／シモーネ・マルティーニの工房／イタリア［43.98.9］
『アン・エリザベス・チョームリー、のちのマルグレイヴ夫人』 *Anne Elizabeth Cholmley, Later Lady Mulgrave*：1788年ごろ／ゲインズバラ・デュポン／イギリス［49.7.56］
『ヴェトゥイユの眺め』 *View of Vétheuil*：1880年／クロード・モネ／フランス

裸の男性のブロンズ像　Bronze Statue of a Nude Male：紀元前 200 ～紀元後 200 年ごろ／ギリシャかローマ／個人蔵、メトロポリタン美術館に貸出中

サルディスのアルテミス神殿の大理石柱　Marble Column from the Temple of Artemis at Sardis：紀元前 300 年ごろ／ギリシャ［26.59.1］

ペルネブのマスタバ墳墓　Mastaba Tomb of Perneb：紀元前 2381 ～ 2323 年ごろ／エジプト、古王国［13.183.3］

伏せるライオン　Recumbent Lion：紀元前 2575 ～ 2450 年ごろ／エジプト、古王国［2000.485］

両面石器、あるいは手斧　Biface, or Hand Ax：紀元前 300,000 ～ 90,000 年ごろ／エジプト、前期旧石器時代［06.322.4］

基部にへこみのある矢じり　Hollow-Base Projectile Point：紀元前 6900 ～ 3900 年ごろ／エジプト、新石器時代［26.10.68］

メケトラーの墓から出土した漕ぎ行く船の模型　Model of a Traveling Boat being Rowed from the Tomb of Meketre：紀元前 1981 ～ 1975 年ごろ／エジプト、中王国［20.3.1］

メケトラーの墓から出土したパン製造所と醸造所の模型　Model of a Bakery and Brewery from the Tomb of Meketre：紀元前 1981 ～ 1975 年ごろ／エジプト、中王国［20.3.12］

メケトラーの墓から出土した玄関と庭の模型　Model of a Porch and Garden from the Tomb of Meketre：紀元前 1981 ～ 1975 年ごろ／エジプト、中王国［20.3.13］

メケトラーの墓から出土した書記のいる穀倉の模型　Model of a Granary with Scribes from the Tomb of Meketre：紀元前 1981 ～ 1975 年ごろ／エジプト、中王国［20.3.11］

ハトシェプストの座像　Seated Statue of Hatshepsut：紀元前 1479 ～ 1458 年ごろ／エジプト、新王国［29.3.2］

ハトシェプストの巨大跪座像　Large Kneeling Statue of Hatshepsut：紀元前 1479 ～ 1458 年ごろ／エジプト、新王国［29.3.1］

ヘジプの息子ウクホテプのミイラ　Mummy of Ukhhotep, son of Hedjpu：紀元前 1981 ～ 1802 年ごろ／エジプト、中王国［12.182.132c］

ネフティスのカノプス壺　Canopic Jar of Nephthys：紀元前 1981 ～ 1802 年ごろ／エジプト、中王国［11.150.17b］

デンドゥール神殿　The Temple of Dendur:紀元前10年ごろ／エジプト、グレコ・ローマン期［68.154］

[60.173]
『建築家ティブルシオ・ペレス・イ・クエルボ』 *Tiburcio Pérez y Cuervo, the Architect* : 1820 年／ゴヤ（フランシスコ・デ・ゴヤ・イ・ルシエンテス）／スペイン [30.95.242]
『マリア・テレサ王女』 *María Teresa, Infanta of Spain* : 1651 〜 1654 年ごろ／ベラスケス（ディエゴ•ロドリゲス•デ•シルバ•イ•ベラスケス）／スペイン [49.7.43]
『少女』 *Study of a Young Woman* : 1665 〜 1667 年／ヨハネス・フェルメール／オランダ [1979.396.1]
『眠る女』 *A Maid Asleep* : 1656 〜 1657 年ごろ／ヨハネス・フェルメール／オランダ [14.40.611]
『ヴィーナスとアドニス』 *Venus and Adonis* : 1550 年代／ティツィアーノ（ティツィアーノ・ヴェチェッリオ）／イタリア [49.7.16]
『男の肖像』 *Portrait of a Man* : 1515 年ごろ／ティツィアーノ（ティツィアーノ・ヴェチェッリオ）／イタリア [14.40.640]
『キリスト磔刑』 *The Crucifixion* : 1325 〜 1330 年ごろ／ベルナルド・ダッディ／イタリア [1999.532]

3………ピエタ

『ヒワの聖母』 *"Madonna of the Goldfinch"* : 1506 年ごろ／ラファエロ（ラファエロ・サンツィオ）／イタリア [ウフィツィ美術館（イタリア、フィレンツェ）]
『ディアナ』 *Diana* : 1892 〜 1893 年／オーガスタス・セント＝ゴーデンズ／アメリカ（アイルランド出身）[フィラデルフィア美術館]（メトロポリタン美術館にも小型版がある [28.101]）
『キリストの生誕と礼拝』 *Nativity and Adoration of Christ* : 1290 〜 1300 年ごろ／イタリア [フィラデルフィア美術館]
『死せるキリストと聖母マリア』 *Christ in the Tomb and the Virgin* : 1377 年ごろ／ニッコロ・ディ・ピエトロ・ジェリーニ／イタリア [フィラデルフィア美術館]

4………数百万年

水の女神（チャルチウィトリクエ） Water Deity (Chalchiuhtlicue) : 15 世紀〜 16 世紀初期／アステカ族 [00.5.72]
『1 皿のリンゴ』 *Dish of Apples* : 1876 〜 1877 年ごろ／ポール・セザンヌ／フランス [1997.60.1]

本文内に登場した芸術作品リスト

以下の芸術作品は、特記しないかぎりメトロポリタン美術館の収蔵品である。もっと情報が欲しい（展示室のなかの場所など）、作品の高画質画像が見たいという方は、メトロポリタン美術館のサイト（metmuseum.org）を参照してほしい。一般的に、作品を検索する際には、個別につけられた受入番号を利用するのがいちばんいい。以下に記した「29.100.6」などの数字である（メトロポリタン美術館の収蔵品に限る）。

あるいは、私のサイト（patrickbringley.com/art）を訪れてもいい。そこには以下と同じリストがあり、メトロポリタン美術館の収蔵品以外の作品も含め、すべての作品へのリンクを貼っている。

1……正面階段

『トレド風景』 *View of Toledo*: 1599～1600年ごろ／エル・グレコ（ドミニコス・テオトコプロス）／スペイン（ギリシャ出身）［29.100.6］

『コロンナの祭壇画』 *Madonna and Child Enthroned with Saints*: 1504年ごろ／ラファエロ（ラファエロ・サンツィオ）／イタリア［16.30ab］

『聖母子』 *Madonna and Child*: 1290～1300年ごろ／ドゥッチョ・ディ・ブオニンセーニャ／イタリア［2004.442］

『14歳の小さな踊り子』 *The Little Fourteen-Year-Old Dancer*: 1922年（鋳造）／エドガー・ドガ／フランス［29.100.370］

傷ついた戦士の大理石像 Marble Statue of a Wounded Warrior：紀元後138～181年ごろ／ローマ、紀元前460～450年ごろのギリシャのブロンズ像の複製［25.116］

ペルネブのマスタバ墳墓 Mastaba Tomb of Perneb：紀元前2381～2323年ごろ／エジプト、古王国［13.183.3］

『マリウスの凱旋』 *The Triumph of Marius*: 1729年／ジョヴァンニ・バッティスタ・ティエポロ／イタリア［65.183.1］

ビスポール Bis Pole：1960年ごろ／ファニプダス／アスマット族、インドネシア［1978.412.1250］

『穀物の収穫』 *The Harvesters*: 1565年／ピーテル・ブリューゲル（父）／フランドル［19.164］

2……窓

『聖母子』 *Madonna and Child*: 1230年ごろ／ベルリンギエーリ／イタリア

◉著者について◉**パトリック・ブリングリー** Patrick Bringley

メトロポリタン美術館に警備員として10年間勤務していた。最初の著作である本書は、ニューヨーク・タイムズ、ワシントン・ポスト、ガーディアン、AP通信などの報道機関から賞賛され、ニューヨーク公共図書館、ナショナル・パブリック・ラジオ、フィナンシャル・タイムズ、オーディブル、サンデー・タイムズ(ロンドン)の年間最優秀書籍に選ばれている。サンデー・タイムズは、本書を2023年度の優れたアートブックに選出した。
現在は、メトロポリタン美術館のツアーの案内人を務めるほか、全国の美術館やその他の会場で講演を行っている。

◉訳者について◉**山田美明** (やまだ・よしあき)

英語・フランス語翻訳家。訳書にソーミャ・ロイ『デオナール』、レベッカ・クリフォード『ホロコースト最年少生存者たち』(共に柏書房)、アンガス・フレッチャー『文學の実効』(CCCメディアハウス)、ダグラス・マレー『大衆の狂気』(徳間書店)、デビッド・リット『24歳の僕が、オバマ大統領のスピーチライターに?!』(光文社)、バーナデット・マーフィー『ゴッホの耳』(早川書房)などがある。

メトロポリタン美術館《びじゅつかん》と警備員《けいびいん》の私《わたし》
──世界中の＜美＞が集まるこの場所で

2024年7月25日　初版

著　者──パトリック・ブリングリー
訳　者──山田美明
発行者──株式会社晶文社
東京都千代田区神田神保町1－11 〒101－0051
電話　03－3518－4940（代表）・4942（編集）
URL　https://www.shobunsha.co.jp

印刷・製本──中央精版印刷株式会社

ISBN978-4-7949-7437-2　Printed in Japan